JN114521

北尾吉孝
SBIホールディングス
代表取締役社長

# 心を養う

財界研究所

# 心を養う

北尾吉孝

# はじめに　――実践力とは

## 片言隻句によって悟る

『論語』の中には、言だけで行動が伴わないことを戒める章句が沢山あります。例えば、拙著『ビジネスに活かす「論語」』では、「君子は言に訥にして、行いに敏ならんと欲す…君子は口下手でも素早く実行できるようにしたいと望む」（里仁第四の二十四）、あるいは「子貢、君子を問う。子曰く、先ず其の言を行い、而して後にこれに従う」（為政第二の十三）といった孔子の言を御紹介しました。

全くの言行不一致を繰り返す人、一言で言えば「言うだけ番長…言葉ばかりで結果が伴わない人」の類では御話になりません。しかし現実は由々しきもので、言うだけ番長で終

2019年9月12日

わる人、また見識（知識を踏まえ善悪の判断ができるようになった状態）はあるにせよ胆識（勇気ある実行力を伴った見識）を有するに至らない人が非常に多いように思います。

明治の知の巨人・森信三先生も言われるように、「キレイごとの好きな人は、とかく実践力に欠けやすい。けだし、実践とはキレイごとだけではすまさず、どこか野暮ったくて時には泥くさい処を免れぬもの」であります。実践力とは結局、「言ったことをきちっとやり遂げる」「出来ないことを言わない」といったものです。Don't tell me.Just show me…もう言うのは分かりました。貴方の行動で見せて下さい――之は私が何時も使うフレーズですが、概して知行合一的に物事を処理して行ける人は極めて少ないように思います。

では、如何なるやり方で実践力を得て行けば良いのでしょうか。例えば、私が私淑するもう一人の明治の知の巨人・安岡正篤先生は、『照心語録』の中で次の通り述べておられます。

――われわれの生きた悟り、心に閃めく本当の智慧、或いは力強い実践力、行動力というようなものは、決してだらだらと概念や論理で説明された長ったらしい文章などによって得られるものではない。体験と精神のこめられておる極めて要約された片言隻句によって悟るのであり、又それを把握することによって行動するのであります。

安岡先生の此の言は全くその通りで、そうした片言隻句を頻繁に念仏のように唱えることで自身の習慣のように身に付けて行くことが一番大事だと思います。書に出ているような難しい事柄でなくて、日頃から何事も言は行に結び付けねば無意味だとして日々の生活の中で事上磨錬(じじょうまれん)して行くのです。

習慣または親の教えとして、自分自身が小さい時からずっと、「言ったことはやる」「約束は守る」といった形でやり続けていると、知らず知らずの内に実践力も得られてくるものです。もっと言えば、自分自身に義務化して行く位の覚悟で以て物事を処理する仕方を習慣として身に付けて行く、ということではないでしょうか。その人の実践力の有無あるいは程度とは、そういった習慣が身に付いているかどうかだと私は思っています。

以上は2019年9月12日の私のブログ(北尾吉孝日記)で、「実践力とは」として記したものです。

私はこのブログを２００７年４月12日から書き続けています。今年14年目を迎えるわけですが、日記の内容は様々な分野に拡大しています。また、現在ではフェイスブックでも公開しています。

本書は２０１９年９月から２０２１年２月までのブログで再構成はしていますが、基本的に原文通りとしました。

本著のタイトルを『心を養う』としました。

このタイトルを見て読者の中には、どうやって心を養うのか具体的に知りたいと思われる方もいるでしょうから、その点について若干触れておきます。

結論から言えば佳書（かしょ）を読むことです。佳書とは、安岡正篤先生は次のように言われています。「佳書とは、それを読むことによって、我々の呼吸・血液・体液を清くし、精神の鼓動を昂（たか）めたり、沈着（おちつ）かせたり、霊魂を神仏に近づけたりする書のことであります。」

安岡先生の右記にあるような書は多くの人がこれまで読んだことがないと言われるかもしれませんので、これを私流に平たく言うと精神の糧（かて）になるような書ということです。もっと具体的に言うと人間的教養を豊かにする古典とか歴史・哲学の書物です。そうした佳書を味読することでその書のエッセンスを掴むのです。そしてそのエッセンスが自らの血や肉となるように知行合一的に日々の生活の中で実践していくのです。

佳書を読む以外でも心を養うことに大変役立つことは佳人の謦咳（けいがい）に接することですが、なかなかこれは難しいことです。その点佳書はいつでも手に執れます。

歴史・時間という篩（ふるい）にかかった東西の古典と一般的に呼ばれる書は、幸い沢山あり当たり外れはないと言えましょう。きっとそうした書を味読していけば、全人的な教養や人間学的意味における哲理・哲学が品性豊かな立派な人格形成に役立つはずです。

私のブログをお読みになり、もし得るところがあれば、血肉化し、皆様方の実際の日常生活の中でそれが行動に移されるようになれば、私として望外の喜びです。

本書が読者の皆様の日々の修養の一助となれば、幸甚であります。

２０２１年４月吉日

北尾吉孝

# 心を養う 目次

## 第2章 人間の進むべき道を学ぶ

## 第3章 人を動かし、世を動かしていく

## 第4章 機を捉えて、自らを変えていく

## 第1章

# 天命を知り、志を立てる

# 天を信ずる

2019年9月4日

## 予想もしない困難に遭遇した時に

明治・大正・昭和・平成と生き抜いた日本が誇るべき偉大な哲学者であり教育者である森信三先生は、「信」というものに関し様々述べておられますが、一つに「信とは、人生のいかなる逆境も、わが為に神仏から与えられたものとして回避しない生の根本態度をいうのである」との言葉を残されています。私は、此の信とは言い換えれば、天に対する自分の信念だと思います。

例えば『論語』の「子罕(しかん)第九の五」に、孔子一行が衛の国を出て陳の国へ向かう途上で、魯の国で一時期権勢を誇った陽貨という人物と間違われて陽貨に恨みを抱く匡(きょう)の人々に捕らえられてしまった時のエピソードがあります。

拘禁された孔子はその時、ひょっとしたら殺されるかもしれないといった中で、次のように言いました――文王既に没したれども、文茲に在らずや。天の将に斯の文を喪ぼさんとするや、後死の者、斯の文に与かることを得ざるなり。天の未だ斯の文を喪ぼさざるや、匡人其れ予れを如何。

之は、「周の文王は既に亡くなっているが、彼の始めた文化は私が受け継いでいる。もし天が彼の始めた文化を滅ぼしてしまおうとお考えなら、そもそも私がそれを受け継げる道理が無い。しかし現に私がその文化を受け継いでいる以上は、匡の人々ごときが天に逆らって私をどうにかできるはずもない」といった意味になります。

あるいは、『論語』の「述而第七の二十二」に、孔子が宋の国の軍務大臣であった桓魋に命を狙われ、絶体絶命の危機に陥った時に発した言、「天、徳を予に生せり。桓魋其れ予を如何せん」があります。

之は、「天は私に徳を授けてくださった。その徳を持つ私を、桓魋ごときが殺せるわけがない」といった意味になります。孔子はどれ程の窮地に追い込まれようとも、なお心の状態を平静に保つ、大変な肝が据わった人物だったのです。右記章句からも分かるように、孔子が如何なる時も「恒心」（常に定まったぶれない正しい心）でいられたのは、天に対する絶対的な信頼感を有していたからでありましょう。

『論語』の中には、孔子が天に対し、絶対的な信を寄せていたと感じさせる言葉が沢山出てきます。「我を知る者は其れ天か」（憲問第十四の三十七）も、その一つです。ですから、孔子は「人生のいかなる逆境も、わが為に神仏から与えられたものとして回避しない」わけで、来たる大事に向け自分を鍛える為に天がそうしているだけのことだと捉えるのです。

これは正に、『孟子』にある「天の将に大任を是の人に降さんとするや、必ず先づ其の心志を苦しめ、其の筋骨を労し、その体膚を餓えせしめ、其の身を空乏にし、行ひ其の為すところに払乱せしむ。心を動かし、性を忍び、その能はざる所を曾益せしむる所以なり」ということです。人生には、予想もしないような困難に遭遇することがあります。そんな時に不遇を嘆くのではなく、天の与えたもうた試練と思い、そのままを素直に受け入れる、といった態度が一番良いのではないかと思っています。

# 命を全うする

2019年12月27日

## 人生二度ない

ダイヤモンド・オンラインに、「死の直前、人が最も多く後悔する5つのこと」（2019年7月）という記事がありました。その5つの後悔とは、①自分に正直な人生を生きればよかった、②働きすぎなければよかった、③思い切って自分の気持ちを伝えればよかった、④友人と連絡を取り続ければよかった、⑤幸せをあきらめなければよかった、とのことです。これらは私にとってクエスチョンマークが付くものばかりですが、皆様は如何に思われたでしょうか。

私自身は、人間常にいつ死んでも良いようにしておかねばならない、と考えています。

人間は必ず死すべきものであり、また、いつ死ぬかは分からない存在です。それは全て、天命です。仮に平均寿命まで生きることを前提とするならば、（a）その自分の人生の中でどういう自分をつくるのか、（b）自分の天命とは一体何なのか、（c）その天命を果たすべく此の世でどのような努力をして行ったら良いか、等々を深く考えて生きて行かねばならないと考えています。

人は此の世に生まれた人間としての役割、他の動物にはない「人間性」というものを天から受けています。之は人間には人間としての生き方や役割があるということで、即ち天が人間に使命（ミッション）を負わせ此の世に送り出したということです。全ての人間は此の世を良き方に向かわせるべく存在し、此の世の進歩発展を永続化するための遺産を残さなければなりません。換言すれば、世のため人のために生きるよう天意を受けているのだと思います。

使命とは文字通り「命（いのち）を使う」ことでありますが、では「何のために命を使うか」と言えば、それは自らに与えられた天命を明らかにし、その天命を果たすためです。人間みな生まれた時から棺桶に向かって走っており、そして人生は二度ないのです。一たび過ぎ去った時間は二度と取り戻し得ない大変貴重なものであります。私は、一時一時を大切にし、寸暇を惜しみ自らの天命を果たすべく一生懸命に全力投球して行く、ということが大事だと思っています。

冒頭「死ぬ瞬間の5つの後悔」に平均寿命まで生きた人がさいなまれるとすれば、その人達は確固たる死生観を持たず何も考えてこなかったのではないかと言わざるを得ないでしょう。人間各々のミッション、即ち命（めい）に応じて、此の世で果たすべき役割があります。「人間において棄人、棄てる人間なんているものではない」と安岡正篤先生も述べておられる通り、「天に棄物なし」、全ての人の「人生に無駄なし」です。此の世に生ある限り世のため人のためとなるように志を立て、その志を遂げるべく夫々の人が夫々の形で粉骨砕身生きて行くべきだと私は思います。そうでなければ棺桶に入る時、何らかの後悔の念が生じるのではないでしょうか。

# 老いて輝く人

2020年5月13日

## 精神的な若さを如何に保って行くか

「人間力・仕事力を高めるWEB chichi」に「なぜ若宮正子さんは82歳でiPhoneアプリを開発できたのか　若宮正子×小林照子」（2020年4月13日）と題された対談記事がありました。その中に、美容家として60年以上活躍されている小林さんが左記の通り述べられ、若宮さんが「ぴったり同じです！私も全く同じことを考えていました」と応じられる箇所がありました。

――やっぱり、年を重ねるごとに輝く人と逆に老いて衰えてしまう人がいると思うんです（中略）。その差は何かと考えてみると、未来を面白がることができるかどうかだと思うんです（中略）。それから、日本人が長く培ってきた伝統的なことに目を向けるのも大切です。（中略）技術の進歩を肯定的に受け止めながらも、古くから受け継がれている伝統を次の世代に伝える。この二つの視点を持つことが、年を取ってからの生き方かなと思います。

「馬齢を重ねる」という言葉がありますが、その反対に年を重ねる毎に輝く為には、私は好奇心とチャレンジングスピリットの2つこそが最も必要なものだと思っています。三国志で有名な曹操の言葉、「烈士暮年、壮心已まず」ということです。これは、「雄壮な志を抱いた立派な男児は晩年になっても〝やらんかな〟という気概をずっと持ち続けるものだ」という意味です。

人間誰しも皆公平に、年に一度年を取って行きます。少なくとも肉体的には、確実に衰えて行くものです。しかし精神的に衰えて行くかと言えば、必ずしもそうではありません。「あそこが痛い」「ここが痛い」とばかり言っていたら、鬱陶しくなるだけです。曹操が言うような実に「壮心已まず」の気魄に満ちた気持ちを持って、「この夢を実現したい」「こんな仕事もしてみたい」と好奇心を失わず積極的に動くようにすべきでしょう。そうした若い元気な青年の気持ちでいますと、面白いもので体も元気になるのです。

「病は気から」と言いますが、年を取ると一段と気力が大事になります。肉体的な若さも勿論大事ですが、何よりも精神的な若さを如何に保って行くかが大切です。好奇心や情熱というのは、「気」によって維持されるものです。チャレンジングスピリットや好奇心が薄れてきたと感じる時には、曹操の「烈士暮年、壮心已まず」とか「老驥(ろうき)（老いた駿馬）櫪(れき)（馬屋）に伏すも、志千里に在り」といった言葉を思い出し、自らを奮い立たせるのです。

人間年を取れば取る程に、その時節相応の形で「生」を全うして行かねばなりません。50代では50代の、60代では60代の、80代なら80代の生き方を模索して行くということです。幾つになっても、精神的な若さは常に保ち続けなければなりません。

# 大道廃れて仁義あり

2020年5月27日

## 義を見て為ざるは、勇なきなり

私は、この世に完璧な人間は一人もおらず、己を含め、未完成の集合体だと思っております。どの相手に対しても、リスペクトを持ち、接しております。度を超えた無礼者が現れたならば、立ち向かうと思いますが、その前に異変を感じ、近づきません——之は2019年10月フェイスブックに投稿した「慈母に敗子あり」と題したブログに対し、読者から頂いたコメントです。

同様の主張として、2019年にテレビドラマ化された『頭に来てもアホとは戦うな！』の著者、田村耕太郎さん（元参議院議員）の言があります。アホを「あなたの時間・エネルギー・タイミングを奪う、不愉快で理不尽な人」と定義され、「そんな人間は放っておけばいいのだ。無駄に戦えば、あなたのほうが人生を大事にしない最低のアホになってしまう」との指摘を行われているようです。

此の社会には程度の差こそあれ、少なからず「アホ」が存在します。今の世の中「アホ」ばかりで仕方がないと嘆き俗世を離れ逃避して行き、竹林の七賢人の如く隠遁生活を送るような人は昔から結構います。それは一面、「アホ」の集合体の中で生きて行く一つの究極的な在り方なのかもしれません。

之が老子流の生き方であるとすれば、孔子流の生き方は「周の時代に比べて世の中はこれだけ可笑しいことになっている。もう一度、周の時代のような政治が執り行われる世界に戻さなければならない」といったように、世の中が間違っているから徳治政治により立て直さねば、と考えるのです。

また、「怨みに報ゆるに徳を以ってす」という老子の考え方に対し、「直きを以て怨みに報い」というのが孔子の基本的な考え方です。孔子が表現する直とは公正公平を指しており、此の直の追求なしに『論語』で言う「中庸」あるいは「中」の世界には到達し得ないのです。

尤も、老子も「大道廃(すた)れて仁義あり。智慧出でて大偽(たいぎ)あり。六親(りくしん)和せずして孝慈(こうじ)あり。国家昏乱(こんらん)して貞臣(ていしん)あり」と言っています。世の中行くところまで行ったならば、即ち振り子が片一方に振れ過ぎたならば、次はまた逆の方向に動いて、それを変える働きというのが必ず起こってくるわけです。

「アホ」が多いから「カシコ」が目立つのでは、とも考えられましょう。「どの相手に対しても、リスペクトを持ち」ながら、「義を見て為(せ)ざるは、勇なきなり」（為政第二の二十四）として、筋を通し、義を貫いて「アホ」の世界を変えて行こうとするのが在るべき姿だと私は思っています。此の生き方を貫き通すと「時間・エネルギー・タイミング」を無駄にすることになる、と思われるかもしれません。しかし、そういうエネルギーが寄せ集まってこそ社会の進歩が齎(もたら)されるのではないでしょうか。之を否定してしまうと、結局社会の進歩は起こって行かないと思います。

# 憧れの人は憧れのままに？

2020年6月3日

## 「敬」の対象を探し求める努力こそが

言論プラットフォーム・アゴラに「イチロー氏に教わった『憧れの人にあえて会わない』合理的な選択」（2019年12月26日）と題された記事があり、筆者はその中で次のように言われています。

――イチロー選手が「僕と会うと（自分のことを）嫌いになる人もいる」というのは、自分の信念を曲げずに振る舞った結果なのではないでしょうか。信念を貫くことで一部のファンは覚めてしまい、逆にその他のファンはますます好きになるという結果になります。直接対面で会うのはそれがより顕著になるのです。

そして右記に続けて筆者は、「私は憧れの人は憧れのままにしておくのも、一つの戦略だと捉えています。歴史上の人物はすでになくなっていて、永遠に会うことができないからこそいつまでも美しいままなのではないでしょうか?同じ現象が、若くしてなくなったり、早期引退をした天才アーティストにも見て取れます。会えないからこそ、いつまでも幻想が永遠に幻想のままなのです」と述べられています。

本テーマで私見を申し上げますと、此の「美しいものは美しいままに」との主張を全面的に否定するわけではありませんが、私自身は基本「ありのままを理解すべし」との考えです。憧れの人に「直接対面で会う」ことが許される場合は、是非とも会いに行った方が良いでしょう。その時に「残念な人だなぁ、期待外れだ」と思うか「あぁ、やはり憧れた通りの人だった」と思うかは、何れにしても会ってみなければ分からないことです。

憧れるとは、一種の空想の世界で自分もその敬意の対象のようになりたいと強く心引かれる様を言います。例えば私が私淑する明治の知の巨人・安岡正篤先生は『照心講座』の中で、「偉大なるもの、尊きもの、高きものを仰ぎ、これに感じ、憧憬れ、それらに近づこうとすると同時に、自ら省みて恥づる」心が、「敬の心」であると述べておられます。

あるいは私が安岡先生と並んで私淑する、明治・大正・昭和・平成と生き抜いた知の巨人である森信三先生は、『修身教授録』の中で次の通り言われています。

――一人の生きた人格を尊敬して、自己を磨いていこうとし始めた時、その態度を「敬」と言うのです。それ故敬とか尊敬とかいうのは、優れた人格を対象として、その人に自分の一切をささげる所に、おのずから湧いてくる感情です。

憧れの人に直接対面で会い「自分の一切をささげる」程ではなかったと思うのであれば、次なる敬の対象を探し求める努力を続けて行けば良いでしょう。逆にその人に対する尊敬の念が深まったというのであれば、それはそれで「自分も発奮してもっと頑張ろう」という「憤」の気持ちに、更に繋がっていくことになるでしょう。之がとても重要なのです。

何故なら、敬と恥が相俟って醸成されてくる此の「憤」が、大きくは万物の霊長としての人類の進歩を促し、またその人自身を成長させていく原動力になるからです。従って、敬と恥を自らの内に覚醒させ、自分自身を良き方に変えていく為にも、可能であれば実際会って真に敬意の対象か否かを見極めた上で、その全人格を知ろうと大いに努めたら良いと思います。

# 大人とは

2020年10月9日

## 人間は常に孤に非ずして群である

「『大人』とは『本当のことをわざわざ言わない人々』」（2020年8月14日）と題されたブログ記事で筆者は、「『人間関係のマサツ』を避けて立ち回ることこそ、世渡りの本質だ」として、「『話せばわかる』という言葉は美しいが、残念ながら、人間同士は話してもわからないどころか、話したら殺し合いになることもある」と述べられています。

そして本記事は、次のように結ばれています――人を傷つけない「大人」は多くの人にとって望まれる。真実かどうかよりも、「主観的な世界」を心地よくしてくる人のほうが、社会的に歓迎される。「知りたくもないこと」を本人に突きつけて「現実を見せる」などというのは、単なる下品な悪趣味であり、エゴである。
率直に申し上げて、私には余りピンとこない見解に感じられます。右記は、単なる事勿(なか)れ主義に過ぎないのではないでしょうか。江戸時代の狂歌に、「世の中は左様しからばごもっとも、そうでござるか、しかと存ぜぬ」というのがあります。此の「八方美人主義」的な処身法は「当時人気の幸福への処世術」だったわけですが、正に之も主体性の喪失そのものと言えましょう。

いま私が「大人とは？」と問われれば、「独立自尊」ということだと答えます。地位や金あるいは妻子を頼って生きている人は、例えば「退職して地位をなくしたら、自分はどうなるのだろう…」とか「家内が居なくなったら、自分はどうなってしまうのか…」といったようになってしまいます。

そうしたもの一切を頼らずに、正に「一剣を持して起つ」宮本武蔵のような「絶対」の境地に至る位の姿勢を持って、自ずからに足りて何ら他に期待することなく徹底して自分自身を相手にして生きるのが大人だと思います。そうして主体的に生きている人は、自己の絶対を尊ぶという「自尊」の世界にあって、「互尊」という感情を他の自尊の人に対して抱くものであります。

付和雷同する小人的な人は、自分の主体性や自分の明確な主義主張を持たない人で、仮に持っていたとしてもそれを明らかにせず都合に応じて調子を合わせるような人で、私自身こうした類の人間は余り好きではありません。私は、人に厳しい事柄でも自分の考えをはっきりと言葉にすべきだと思っています。その上でその人の考えが違っていれば、それはそれで尊重し自分自身で今一度検証して、それでも自分が正しいと思ったならば、堂々と発言して行くのが大人だと思います。

同時にまた、我々の人間社会は秩序維持を図りながら共存していかねばならない、ということをきちっと分かっている必要がありましょう。「人間は社会的動物である」とアリストテレスが言い、「人間は常に孤に非ずして群である」と荀子が述べている通り、人というものは他人や社会の干渉なしには存在し得ない、自分一人では生き得ない動物です。自由があれば片一方で規律もあるわけで、人に迷惑を掛けぬよう道徳というものをきちんと持っているのが大人だと思います。

此の道徳ということで、私は嘗て『プレジデント』の取材を受けた際に、「普段、顕加（けんが）

（目に見える何かをして頂いたことへの感謝）だけでなく冥加（みょうが）（表に表れない、見えないものへの感謝）の世界に至るまでありがたいという気持ちで生きている人は、『ありがとう』という言葉がスッと出る。相手を敬い、拙い自分を恥ずかしく思う気持ちがあるからであり、だからこそ人は成長する」と述べたことがあります。

人という独り立ちするまでに大変長い時間を要する動物にとって、その間醸成された感謝の念、即ちありがたいという気持ちこそが、社会を生きていくための大事な道徳的要素になって行くのです。そして大人たるべく人間は、社会に出た後も全てに対する冥加も含め、あらゆる事柄に感謝する気持ちを常々持たねばならないということです。

# 一番最初に○○する人

2020年10月16日

## 自分を律する強い心

一番最初に謝る人は、一番勇気がある人。一番最初に許す人は、一番強い人。一番最初に忘れる人は、一番幸せな人。…The first to apologize is the bravest, the first to forgive is the strongest, and the first to forget is the happiest.――之は、2020年6月にリツイートしたものです。誰がどういうつもりで残した言葉かは知りませんが、本ブログで以下に私が思うところを簡潔に申し上げたいと思います。

先ず「一番最初に謝る人は、一番勇気がある人」についてです。謝るとは自分の非を認めるということですから、ある面で勇気も必要です。もっと言えば非を認めるとは、自分の一部を否定するということであります。その自己否定の結果、謝る対象者に対して尊敬する心を持つとか恥じ入る心を持つといった、謝るために必要な様々な心の動きというものがあるはずです。その心の動きを持つということは、ある意味勇気がいることかもしれません。

明治・大正・昭和・平成と生き抜いた知の巨人である森信三先生も、『修身教授録』の中で「師説を吸収せんとせば、すべからくまず自らを空しうするを要す。これ即ち敬なり。故に敬はまた力なり」と述べておられます。誰かに非常に傾倒しその人から長所を出来るだけ取り入れようとする、言ってみれば、その人に感じる「敬」の気持ちに対しその対極にある「恥」の気持ちを抱く中で自分をある意味否定していく、ということであります。

次に「一番最初に許す人は、一番強い人」についてです。王陽明の言葉「天下の事、万変と雖も吾が之に応ずる所以は喜怒哀楽の四者を出でず」の中にも「怒」が含まれているように、怒りという感情を何らかの形で持った動物として天は我々人間を創りたもうたのです。従って之を治すのは、至難の業なのだろうと思います。但し顔回（孔子の弟子）の如く修養を積むことで、少なくとも激怒しても「怒りを遷さず」（『論語』雍也第六）、許す位の包容力は持てるのかもしれません。

　包容力というのは、そういう強さから出てくる部分があるのも確かだと思います。私は、「仁」の思想の原点に「恕」があると考えています。恕とは他人に対する誠実さであり、如しに心と書くように「我が心の如く」相手を思うということです。之は、慈愛の情・仁愛の心・惻隠の情と言い換えても良いでしょう。相手の動機や行為等々を理解し受け入れて許す寛大な心を持たなければならないと思います。このような心を持つには、自分を律する強い心が必要なのです。

　そして最後に「一番最初に忘れる人は、一番幸せな人」。此の部分については全く以て同意出来ません。之は一言で言うと、極楽蜻蛉（楽天的でのんきそうな者をあざけったりからかったりしていう語）の類ではないでしょうか。

# 四を絶つ

2020年10月29日

## 「自分にも知らないものが沢山ある」ことを知る

私は「一番最初に〇〇する人」（2020年10月16日）と題したブログで、「顔回の如く修養を積むことで、少なくとも激怒しても『怒りを遷さず』（『論語』雍也第六）、許す位の包容力は持てるのかもしれません。包容力というのは、そういう強さから出てくる部分があるのも確かだと思います」と書きました。そしてそれに続けては、次のように述べておきました。

――私は、「仁（じん）」の思想の原点に「恕（じょ）」があると考えています。恕とは他人に対する誠実さであり、如（ごと）しに心と書くように「我が心の如く」相手を思うということです。之は、慈愛の情・仁愛の心・惻隠の情と言い換えても良いでしょう。相手の動機や行為等々を理解し受け入れて許す寛大な心を持たなければならないと思います。このような心を持つには、自分を律する強い心が必要なのです。

『論語』の「子罕第九の四」に、「子、四を絶つ。意なく、必なく、固なく、我なし」とあります。孔子は「私意がない、無理を通すことがない、物事に固執することがない、我を通すことがない」というのが大事だと考えて、「意必固我」を意識的に行わぬよう己を律してきました。

孔子が此の四を絶った理由は、徳をどう磨いて行くかを考えた時、自らに課した解決の仕方ではなかったか、と私は理解しています。そういう修養を積むことで、孔子という非常にバランスのとれた人間が出来上がったわけです。私は、「意必固我」を排していこうというのが結局のところ、冒頭挙げた包容力の全てではないかというような気がします。

包容力とは、現代風に言えば、例えば多様性を受け入れて行くことです。人間誰しもが個を確立すると他を受け入れない、といった片一方の極に達します。「意必固我」に陥っている人は自分の考え方に拘り、自分の考えだけで物事を判断したり、何が何でも必ず自分が決めた通りにやろうとしたりするものです。

実は上に立つ者ほど、此の「意必固我」に陥り易い傾向にあります。「意必固我」を押し通せる立場にあり、また押し通すことが強いリーダーシップだと錯覚している人もいるからです。しかし「意必固我」を捨てられねば、物事の見方が狭く浅く偏った人物になってしまいます。そういう人物は、いわば中庸の対極にあると言えましょう。

もちろん組織において最終決断は、リーダーが一人で下す必要があります。しかしそれは、独裁ではあっても独断であってはいけません。リーダーが己の「意必固我」から離れ、広く深く偏りなく物事を見ることが出来ないと、正しい決断は困難になるのです。

では如何にして四を絶ち得るのかと言えば、先ず一つに私自身常に心掛けているのが、「思考の三原則」に則って物事を考えるということです。即ち一現象において、「枝葉末節ではなく根本を見る」「中長期的な視点を持つ」「多面的に見る」、の三つの側面に拠って物事を考察するのです。此の考え方を身に付けて行けば、「意必固我」はある程度減ぜられると思います。

そしてもう一つ、四を絶つ上では学問を怠らぬこと、学び続けることが大切です。孔子は、「学んで思わざれば則ち罔し。思うて学ばざれば則ち殆し…学んでも自分で考えなければ、茫漠とした中に陥ってしまう。空想だけして学ばなければ、誤って不正の道に入ってしまう」（為政第二の十五）と言っています。また別の章句では、「学べば則ち固ならず」（学而第一の八）とも言っています。学問をすれば、一事柄に執着する頑固者ではなくなるわけです。

学ぶことは、自分がそれまで知らなかった物事の道理や考え方を知ることです。更に言えば、「自分にも知らないものが沢山ある」ことを知ることでもあります。それを知った分だけ人は己に謙虚になり、意必固我から遠ざかり得るのです。「学んで」「思うて」己の視野を広め、思考を深めて行く――そうやって一歩一歩、意をなくし、必をなくし、固をなくし、我をなくし、孔子が最高至上とした中庸の徳の境地に近付けたら最高ですね。

# 真善美を探究する

2020年12月2日

## 人間としての良心を信じて生きる

災難も幸運も試練であり感謝して受け止める。全てを良い方向に進めて行こうという宇宙の想念と合致した行動を続ければ成功する。常に利他の心で臨めば他力の風が吹く。人生の目的は美しい魂を磨き、人格を高め、真善美を探究すること。人生はそのための道場だ。レオ財団月例会 稲盛和夫氏講演レビュー――之は半年程前、政治家の中川暢三さんがツイートされたものです。

国語辞書を見ますと、真善美とは「認識上の真と、倫理上の善と、審美上の美。人間の理想としての普遍妥当な価値をいう」と書かれています。此の真善美にしろ知情意にしろ、人間その全てをある種バランスをとりながら追求していかねばならないのだろうと思います。即ち、知情意で言えば「智に働けば角が立つ。情に棹（さお）させば流される。意地を通せば窮屈だ。とかくに人の世は住みにくい」（『草枕』）ということで、中々このバランスをとらないと生きていくのは難しいわけです。私は真善美もある面で、そういう性質のものではないかと思っています。

例えば、仏教において善というのは「衆善奉行（しゅぜんぶぎょう）」という仏語で善を勧めるのだけれども、時として何が善で何が悪かも非常に分かりづらい側面がありましょう。また、「悪法も又法なり…たとえ悪い法律であっても、法は法であるから、廃止されない限りは、守らなければならない」と言って死んで行く人もいます。果たして如何なる意味で善なのかは、判断自体が極めて難しいことだと言えないでもなく、様々な事柄全体を考えてみますと、一体何が本当に正しくて何が正しくないのか、良く分からない部分があるようにも思われます。

美というのも之また、厄介な問題です。皆夫々に美意識が違う中で、共通した美はあるのでしょうか。コンテンポラリー・アート（現代美術）で例示すれば、草間彌生さんのカボチャの絵を見ていて、「全く分からない。何も良いとは思わないなぁ」と言う人が結構いることも事実です。他方「素晴らしい絵だ」としてちゃんと値段が付いていき、コンテンポラリー・アートの範疇の一つに相応しいと思う人もいるわけです。同じことが生き方についても言えましょう。ある生き方が美しいと感じられるか否かは、人夫々(それぞれ)です。美とは一面、こういうものであります。

あるいは、真というのも常に変わります。例えば、拙著『強運をつくる干支の知恵［増補版］』第1章で詳述した通り、中国は長い間「陰陽五行説」が真理だと思ってきました。「五行」とは万物を生ずる根元となる五元素（木、火、土、金、水）で、あらゆるものはこれらから成るという説です。何ゆえ中国古代人が元素を五種としたかと言うと、宇宙には「天」と「地」があり、天には五惑星（木星、火星、土星、金星、水星）があるように、それらに対応するものとして地には五元素があると考えたからです。

此の五惑星としたのは当時、古代人が肉眼で捉えられたのが5つの惑星だけだったからです。ところが現在では土星より遥かに遠い太陽の惑星である「天王星」「海王星」更には「冥王星」が順次発見され、また物質面では既に120種近い元素が発見され、五行説は非合理の遺物となったわけです。従って真というのも捉え所のない、ある意味大変難しい性質があると思います。

以上より真善美を追求すると言っても結局のところ、最後は人間としての良心を信じて生きることでしかないものだと言えるのかもしれません。『大学』に「明徳を明らかにする…自分の心に生まれ持っている良心を明らかにする」とあるように、人間である以上みな良心というか明徳というものがあるわけですから、やはり最終的には此の明徳に頼って自分の良心の声を聞き、そして自問自答する中で物事を判断するしかないのだろうと思います。

人間として生まれ天から与えられた使命を持ち、その使命を自覚し果たそうという努力と、それによる成果こそが人間として価値あることではないでしょうか。そして個々人夫々の様々な使命は時として、真や善や美の実現に繋がっているということです。絶対的な真や善や美を追求するのではありません。時々に色々やりながら自らの良心に根差した妥協点を見出し、真善美のバランスをとって行く、というような生き方でしかないのだろうと思います。

# 天職を得る

2020年12月23日

## 天命を悟り、それを楽しむ心構え

「天職を見つけたことを示す7つのサイン」（2020年11月16日）と題された記事がフォーブスジャパンにありました。その7つのサインとは、①計画を達成するための行動を取ることができる、②仕事に集中できる、③他者の反対にも動じない、④自分には何かが達成できると感じている、⑤大きな成果が出せる、⑥幸せに感じる、⑦進捗を遂げている、とのことです。私見を申せば、天職と思えるか否かは、心底その仕事を楽しんでやっているか否か、だと考えています。

『論語』の「雍也第六の二十」に、「これを知る者はこれを好む者に如かず。これを好む者はこれを楽しむ者に如かず」とあります。その仕事が好きなら良いかと言うとそうでもなくて、楽しむという境地に到達しているのが正に三昧の境地です。此の三昧の境地に入り朝から晩まで寝食忘れて一心不乱に打ち込めているならば、それは天職と言えるのではないかと思います。

孔子は、「憤りを発して食を忘れ、楽しみて以て憂いを忘れ、老いの将に至らんとするを知らざるのみ」（『論語』）と言っています。之は、「物に感激しては食うことも忘れ、努力の中に楽しんで憂いを忘れ、年を取ることを知らない」といった意味になります。雑念を追っ払い何時も精神が潑剌と躍動している中で、天と対峙するということに尽きると私は思っています。

仕事において若くして楽しむ境地に入るのは、中々難しいことでしょう。最初の内は、全く楽しみを感じないかもしれません。しかし暫く経ってその仕事を深く知り段々と楽しくなってくることも数多あって、更にはそれこそ三昧の境地に入って行けるということもありましょう。

「素直であることが非常に大事だ」と松下幸之助さんが言われている通り、最初は何でも素直に受け入れてみて、与えられた仕事の意義を本当に理解しようと全身全霊を傾けて、簡単に諦めることなく突き詰めてとことんまでやり遂げてみるのです。その中で自分として「之をやらねばならない」「之はなさねばならない」といった気持ちが、必然的に湧いてくるものです。

そして次第に、之をやるのは自分自身の責務であるとの認識を深め、延（ひ）いては自分自身の天命なのだという位に自覚するようになるのです。ですから、ある程度の期間その仕事をやってみた上で、天職かどうかを判断して行くべきだと思います。「10年やっても好きになれんわ！」ではしんどいかもしれませんが、3年やって直ぐ「もうつまらん！」と結論を下してしまうのも早計かもしれません。何れにしろ先ず大前提として、目の前に与えられた仕事に対し、一心不乱に取り組む姿勢を持ち続けることが肝要です。

佐藤一斎は『言志録』の中で、「人は須（すべか）らく、自ら省察すべし。天、何の故に我が身を生み出し、我をして果たして何の用に供せしむる。我れ既に天物なれば、必ず天役あり。天役供せずんば、天の咎（とがめ）必ず至らん。省察して此に到れば則ち我が身の苟（いやし）くも生くべからざるを知る」と言っています。

ここで言う「天役」とは、自分の天職と思える仕事を通じて天に仕えること、社会に貢献すること、即ち世のため人のために仕事をすることです。仕事を自分自身の金儲けのためや自分の生活の糧を得るためのものだと考えると、人生はつまらないものになります。世のため人のためになることをするからこそ、そこに生き甲斐が生まれてくるのです。私は、自分の天分を全うする中でしか此の生き甲斐は得られない、と思っています。

『論語』の「尭日第二十の五」に、「命を知らざれば以て君子たること無きなり」という孔子の言があります。己にどういう素質・能力があり、之を如何に開拓し自分をつくって行くかを学ぶのが、「命を知る」ということです。一角の人物になるためには、どうしても天命を知り、天職を得るような志を立てる必要があります。

それによって、最終的に「楽天知命…天を楽しみ命を知る、故に憂えず」という境地に到るのです。天命を悟り、それを楽しむ心構えが出来れば、人の心は楽になるという意味です。そうやって天に仕える身として常に自らの良心に背くことなく、社会の発展に尽くすべく仕事の中で世のため人のためを貫き通すのです。

最後に本ブログの締めとして、明治の知の巨人・安岡正篤先生の言葉を御紹介しておきます。次の言葉は、そのまま仕事を天職にして行く極意と言って良いでしょう――石川啄木の有名な歌の一つに、「快く我に働く仕事あれ、それをしとげて死なんと思ふ」というのがあります。人間は、ただ生きるというだけではつまらないことで、意義あり感激ある仕事に生きなければなりません。

# 罪を憎んで人を憎まず

2021年2月3日

## 「情の世界」と「知の世界」のバランス

ツイッターを見ていますと、ここ1週間でも様々な社会ニュースを評するに、「罪を憎んで人を憎まず…犯した罪は憎んで罰しても、罪を犯した人まで憎んではならない」という諺が使われています。他方「人を憎んで罪を憎まず」といった論調もかねてから同様にあるわけですが、人間社会の基本的な在り方として私は「罪を憎んで人を憎まず」が非常に大事だと思っています。

世の中には、例えば1銭の金も無く腹が空いて堪らない人もいるでしょう。我国では何人も「法の下に平等」であり「健康で文化的な最低限度の生活を営む権利を有する」と、日本国憲法の第14条および第25条に記されているにも拘らずです。

では、生活苦に追われた人が、ある店で何かを盗み、結果として犯罪行為に手を染めた場合、その人は本当に悪人だと言い切れるでしょうか。普通の環境下にあれば、悪人とは思えない人かもしれないわけで、勿論その罪自体は問われるべきですが、そこにやはり情状酌量的な諸要素は有り得るのではないかと思います。

人間の社会というのは、所謂「情の世界」と「知の世界」のバランスの上にある意味成り立っています。そうした中で、知の世界だけで画一的に割り切って情状酌量の余地を排して行くような社会になると、私は何か非常に冷たいものを感じます。また、「情意を含んだ知というもの」（2013年4月12日）と題したブログでも指摘した通り、様々な事柄が絡み合った人間社会という複雑系においては、割り切りの知、すなわち劃然（かくぜん）たる知では何も解決し得ず、判断を間違うことにもなるでしょう。

知は渾然たる全一を分かつ作用に伴って発達するものだから（中略）、われわれは知るということをわかると言う。（中略）だから知には物を分かつ、ことわるという働きがある――

――明治の知の巨人・安岡正篤先生は、こう述べられています。

例えば、疒垂（やまいだれ）の中に知識の知を入れて「痴（ち）（愚かなこと。また、その人）」という字が出来ていますし、此の原字は知ではなく疑問の疑を疒垂に入れて「癡（ち）」という同義の字であったわけです。劃然（かくぜん）たる知は、やはり本当の知ではありません。

人間ややもすると情よりも知の方に重きを置きがちです。しかし、プロセスとして必要なのは論理で考えて行き、最終結論を下す前に情理（単なる論理でなしに情と合わさった理というもの）で再考することです。人間の世界は所詮「喜怒哀楽の四者を出でず」（王陽明）、それぐらい情というのは大事なのです。

ですから、罪自体は悪であり一定の刑は認められるものの、「こういう事情があったか。初犯でもあるし、執行猶予を付けておこう」といったような判断が働き得るのです。そうした類が全く無い「人を憎んで罪を憎まず」の社会よりも、ぎすぎすしないでしょう。ですから、私は「罪を憎んで人を憎まず」が人間社会の基本的な在り方だと思っています。

# 第2章

# 人間の進むべき道を学ぶ

# 良知を致す

2019年10月3日

## 現行教育の抜本改革を

フェイスブックに投稿した「偉大なるかな二宮尊徳」（2019年6月19日）と題したブログに対し、読者から「北尾様にお願い。荒廃した人間性を正すために、教育を始め、立法、司法、行政の大改革［令和の改革］を立案・提唱していただけませんか？」とのコメントを頂きましたので、本ブログにて私が思うところを簡潔に申し上げたいと思います。

最近の社会現象を見ていて私が非常にショックなのは、実の親が自分の子供を虐待し時として死に至らしめるとか、あるいは前の夫との間にもうけた子に対する再婚相手の虐待を母親が止められない、といった痛ましいケースが相次いでいることです。2019年9

月17日母親に懲役8年の実刑判決が下された所謂「船戸結愛ちゃん虐待死事件」もそうですが、幼児の命が虐待で奪われていくなどという惨劇を見ていますと、私自身憤りを覚えると共に「本当に何故こんなことが…」と強く思います。

結論から申し上げれば、之は非常に複雑かつ相当根深い問題であるが故、やはり第一には色々な意味で現行教育の抜本改革を施して行かねばらないと考えます。そしてその場合、単に親の在り方だけではなく、更に隣近所を含めた一つの共同体の在り方としても捉える必要があるようにも思います。人口減少社会の此の日本で、周りの人でも助けてやろうというような意識が希薄な現況は如何なものかと思います。

例えば、痩せた子供がちゃんと洋服も着ないで夜売店で御菓子をずっと見ていたとしたら、昔なら「きっと腹が空いているんだろう…」と心配し、少しでも何かを食べさせて栄養を取らせようとするでしょう。しかし今世の中を見ていますと、そうしたことに著しく疎く余りに冷たくなっているのではないか、という気がします。もう少し周りの人・社会全体で温かい態勢が取れるよう、早急に様々なことを見直して行かねばなりません。

昔であれば向こう三軒両隣と言って、皆が結構助け合いをしていたものです。また核家族化の進展の下、近所付き合いも段々と消失したりしています。シビアな現実として、子育て経験に乏しい母親が一人悶々としながら泣いている子供の世話を十分仕切らずにノイローゼになる、といったケースも沢山生じているわけです。こうした問題に対して、社会が本気になって取り組んで行かなければならないと思います。こうしたことも、根本的には教育改革に対する取り組みに他なりません。そしてその教育の基本は、一言で言えば「致良知…良知を致す」ということであります。

明治の知の巨人・安岡正篤先生は『東洋倫理概論』の中で、「天稟(てんぴん)の明徳を明らかにし、人間の進むべき道について学ばねばならぬ」と述べられています。天稟とは、人間が生まれ持った才能や性質です。明徳とは『大学』に出てくる言葉で、良知すなわち善悪の判断を誤らない正しい知恵を指して言います。人間生まれながらに持っている明徳を明らかにし、人間の進むべき正しい道を学ぼうというような教育を施さない限り、右記の問題は一向に減らない許(ばか)りか益々増えて行くことになるでしょう。

例えば今、「児童相談所がきちっと対応できていたら、こうはならなかったのに…」と思われる事件が起きています。私に言わせれば之は、児童相談所に勤めている人が十分な良知を致していない、ということだと非常に問題視しています。私は、令和の大改革に挙げられるべき筆頭は道徳教育ではないか、という気がしてなりません。最近の社会現象は、余りにも酷過ぎます。

# 慈母に敗子あり

2019年10月17日

## 自制心を育む道徳教育を

日本経済新聞に、「すぐ怒る自分を変えたい　講座に年24万人、6年で29倍―トラブル防ぐ『アンガーマネジメント』」（2019年8月25日）と題された記事が載っていました。当該講座では、「1970年代に犯罪者の更生プログラムとして米国で生まれた心理トレーニングを活用し、怒りのメカニズムを学び『許せる範囲』を広げる訓練を重ね」たりしているようです。

王陽明の言、「天下の事、万変と雖(いえど)も吾が之に応ずる所以(ゆえん)は喜怒哀楽の四者を出でず」の中にも「怒」が含まれているように、怒りという感情を持った動物として天は人間を創りたもうたのです。故に、之を消失することはある意味で不可能だと私は思います。

ですから、怒る時には下らない事柄で怒るのではなくて、社会正義に照らし正しいかどうかを判断基準として、常に抑えるべきところは抑え、真に怒るべきところに怒らねばなりません。しかしながら最近の世の風潮を見ていますと、余りにもつまらない事象に対して此の感情を剥き出しにしている、といったケースが多数見受けられます。

それは例えば、「あおり運転を含む道路交通法違反の『車間距離不保持』の摘発件数は1万3025件（2018年）で前年の約1・8倍」（2019年8月26日 日本経済新聞）ということで、2019年に入っては常磐自動車道での宮崎文夫容疑者による一連の言行が象徴的だと思います。之は、怒る必要が全くない時にも拘らず訳も分からず直情で激昂しているものであって、私は自分を律する・自分を抑える自制心が著しく欠如しているのではないかとの印象を受けています。

では、何故に自制心が働かず直ぐに怒りの感情を吐露するようになってきたかと考えますと、10月3日のブログ「良知を致す」同様これまた教育の問題に行き当たります。要するに、きちっとした自制心を育むような親の躾（しつけ）なり学校教育が為されていない、即ち、我（わが）

儘(まま)になっているのではないでしょうか。

躾とは漢字で書くと、身を美しくするという形ですが、之は必ずしも外見上のことではなくて、内面的な美しさを持たせるようして行くものであります。ところが我国では戦後不幸にも長年に亘って、家庭・学校をはじめ社会全体で右記のように子供を躾け育てて行くような状況ではなかったのです。そして子供の時から我儘放大に育てられた結果として、自分の思うことが思う通りに出来なかったら直ぐに周りに対し怒りの感情を吐露するようになっているのではないか、と私は見ています。

『韓非子』に、「厳家に悍虜(かんりょ)なく、慈母に敗了あり…厳しい家庭になまけものの召使いはいないし、過保護な家庭には親不孝者が育つ」という言葉があります。学校での試験の点数さえ良かったら「いい子」になってしまう成育環境こそが、今日の「敗子」を生んできているのではないでしょうか。我々は先ず第一に、子供達の自制心を育んで行く場に道徳教育を加えなければ、何時まで経っても此の社会は中々良くならないと思います。

# 失われゆく日本人らしさ

2019年11月29日

## 「勧善懲悪」のテレビ番組が減った

2009年に発売された拙著『安岡正篤ノート』（致知出版社）の第2章で、私は「陽明学を日本に普及させた安岡正篤」と題し次の通り述べました。

――「悪が必ずしも滅びるとは限らない」「力の強い者が勝つ」と考えるような人たちが出てきているのは、日本人の遺伝子が変異してきているためかもしれません。しかし、これは日本人らしさを失うことに他なりません。性善説、勧善懲悪という考え方は、時代を超えて訴え続けていくべきものだと思います。

私は「正義は必ず勝つ」「悪はろくなことはない」といったことを、テレビドラマ等を通じ日本国民に啓蒙すべきと思うのですが、嘗て私が子供時代に観ていたような勧善懲悪の番組は今非常に少なくなっているように感じられます。あるいは、「積善の家には必ず余慶有り」（『易経』）とのエッセンスが入ったテレビ番組があれば良いと思うのですが、何故かそうした類が無くなって行っており私は此の現況を大変憂慮しています。

「正義は必ず勝つ」というようなテレビドラマを子供時代に観て育てば、悪い思いを抱く人は少ないでしょう。例えば「水戸黄門」を観て、悪代官を最後に遣っ付ける単純なストーリーだと思う人はいるかもしれませんが、その結末が悪い終わり方だと思う人はいないでしょう。訳の分からぬ終わり方で何かスッキリしない結末の番組は、最早不要ではないでしょうか。

我国が「世界一安全な国」で在り続けようとするならば、国民の道徳心や良識を更に高めるためのテレビ番組を制作して行くことが極めて大事だと思います。あるいは、これからかなり増えるであろう移民に対しては、「日本社会においては○○○が非常に重要視され、○○○から逸脱する行為者は、逆に著しく軽蔑される」、といった具合に道徳的教育を施して行かねばなりません。

その時、彼等を何に同化させせるのかと言えば、それは、日本人が持っている伝統的な良き特質に同化させることに他なりません。例えば2019年11月2日閉幕したラグビーワールドカップ日本大会でも「おもてなし」が随分評判になりましたが、之は我国民が有するトラディションの良き特質の一つに違いないわけです。武道における「礼に始まり、礼に終わる」という精神等々そういうものを残していくために、マスコミ関係者は「如何なる番組を作るべきか」「どういう思想を日本国民に子供時代から持たせたら良いか」等々よくよく考えて、その職務に当たって貰いたいと思うのです。

取り分け国税の如く視聴料を徴収するNHKに対しては、その受益者負担に反する側面に不公平感を持っている人も沢山います。それだけにNHKの大事な役割というのは、国民の知的水準だけでなしに道徳的水準も上げ、日本をより一層住み易く・明るく・高潔な世界に誇るべき社会に導いていくよう注力することだと私は考えています。

今年の大河ドラマ「いだてん」は、2020年のオリンピック東京開催に合わせてみたものの、続く視聴率低迷が報じられています。しかし、そもそもが視聴率を気にしなければばならないのは民放テレビ局であります。毎年この時期に、ＮＨＫ紅白歌合戦の視聴率がどうだこうだと騒ぎ立てるのもナンセンスです。ＮＨＫは唯々、日本人らしさの維持・発展に資する真面（まとも）な番組作りに日々真摯に向き合うべきです。そして、我国民の知的・道徳的レベルをより高い方向に誘導していくよう尽力し続けるべきだと思います。

# 貯蓄から資産形成へ

2020年2月14日

## 大幅に延びた老後を自分で設計する時代

先日ツイッターを見ていましたら、私の「名言」として次のツイートがありました――本来ならば、中学卒業までに金融の基礎をしっかり教えなくてはならないのです。ところが日本の学校で教えるのは、銀行のメカニズムだけなのです。これでは、子供に泳ぎ方を教えずにいきなり大海原に放り出すようなものです。

2022年4月より「高校の新学習指導要領は、家計管理などを教える家庭科の授業で『資産形成』の視点に触れるよう規定し（中略）、株式や債券、投資信託など基本的な金融商品の特徴を教えることになる」（2019年11月12日 日本経済新聞）ようですが、私の従前の持論は冒頭のように義務教育中にそれを教えねばならないというものです。と言いますのも、義務教育を終えて後すぐに社会に出て行く若者もいるからです。

未だ蔓延る「学校で投資教育とは何事だ！」といった風潮は、私に言わせればナンセンスの極致です。これまでの学校教育の在り方がゆえ日本は、ネガティブ金利の時代にあって個人金融資産の52・9％（２０２０年９月末時点では54・4％）を「現金・預金」が占めることになり、また「老後２０００万円問題」でこれだけ多くの国民が悩まねばならなくなったのです。それ故義務教育の期間に、お金をどう運用して行くかを学び、銀行預金以外の選択肢に理解を得ておくことが極めて大事だと思うのです。

『管子』（中国古代の政治論集）に、「一年の計は穀を樹うるに如くはなく、十年の計は木を樹うるに如くはなく、終身の計は人を樹うるに如くはなし…一年で成果を挙げようとするなら、穀物を植えることだ。十年先を考えるなら、木を植えることだ。終身の計を立てるなら、人材を育てることに尽きる」という有名な言葉があります。

例えば、私が生きて来た時代において、リーダーシップを発揮し、日本の国力向上のため非常に大きな働きをした総理の一人に、池田勇人氏が挙げられます。彼は60年前、10年間で国民所得を倍にするという所得倍増論を展開し、実質的にそれを成し遂げた偉大な人物です。

池田氏が長期計画として「所得倍増計画」を打ち立てたからこそ、経済の高度成長に繋がって行ったわけです。つまりは、国の政治あるいは政策に関わるようなところから一般の家庭においても、長期計画の中で様々な問題を解決すべく人を育てて行かねばならないということです。之は、義務教育からの投資教育といった文脈にも当て嵌まるものでしょう。

ウォーレン・バフェット氏（11歳から投資を開始）等々を例示するまでもなく、今この時代、高校から「基本的な金融商品の特徴を教える」などとは余りにも遅すぎます。高度化・多様化した金融商品を自己責任で選び、大幅に延びた老後を自分で設計して行かねばならない「人生100年時代」——義務教育の内にマーケットの仕組みの学習を終え、長期計画の内に投資センスを身に付け磨いて行くことが益々求められると思います。

# 発想力とは

2020年3月23日

## 一芸に秀ずれば結果として万芸に秀ずる？

早稲田大学ファイナンス総合研究所顧問の野口悠紀雄さんは以前、「発想力とＩＱの関係」について次のように述べておられたようです（『致知』２００１年12月号）。

――ニュートンもアインシュタインもあまりＩＱは高くなかったようですし、学校の成績と発想力は関係がないと考えたほうがいいでしょう。（中略）（ある米国企業の調査結果に依ると、）発想力はＩＱなどではなく、自分ができると思っているかどうか、という意識のベクトルの差が非常に大きいというのです。

此の「意識のベクトルの差」が発想力に関係するということは、例えば豊臣秀吉が「負けると思えば負け勝つと思へば勝つものなり」と言っていたり、ナポレオン・ボナパルトが「私はできる、と考えている人が結局は勝つ」とか「能力に限界を加えるものは、他ならぬあなた自身の思い込み」とか言っているのに通ずるところがあるように思えます。

発想が豊かな人は往々にして、「あらゆる事柄において『自分ならどう処すか』と主体的に捉え、選択肢を常に考え続ける人」のように思います。何事でも色々な選択肢を自ら主体的に出していくような人は、そこに新たなる発想というものも自然と齎（もたら）される確率が高くなるというわけです。そうした思考法に慣れるためトレーニングを積んで行くことも、大事だと思います。

その上で野口さんの御指摘について申し上げれば、確かにＩＱの高低と発想力は余り関係ないのかもしれませんが、ＩＱの高い方で何らかのスペシャリティがあり、そこに精通している方が新たな発想で、御自分の専門外の分野で様々な発信をされておられるようなことも見聞きします。それは、一芸に秀ずれば結果として万芸に秀ずる、ということかもしれません。

人間というのは、一道を極めるべく大変な努力や人知れぬ苦労を重ねて行く中で、他の事柄に対しても、それなりの判断力が養われて行くものです。数学者として一芸に秀でていた岡潔先生を例に見ても、関心を持たれていた仏教や教育といった全く違う分野において、晩年様々な本を書かれ素晴らしいものを残されています。

あるいは、日本人として初めてノーベル賞を受賞された湯川秀樹氏にしても、その評論や文章等を色々見ますと、物理学者でありながら素晴らしいものを残されています。一道に人一倍の苦労をし知恵を絞り切った経験を持つ人物は、やはり他分野でも自然と磨かれ、参考になるアイディアが出てくるのだろうと思います。

何れにせよ、誰もが同じ発言を繰り返していたら、誰も面白いとは思わないでしょう。だからといって、何でも彼んでも人と違っていたら良いわけではありません。他の人が聞いて面白いと感じるのは、少し違った視点や観点そして「なるほどなぁ〜」と思わせる何かが、そこにあってこそです。ベースとなるものを持たぬ人に突然天から面白いアイディアが降ってくる、といった類は極めて稀だということです。発想力とは、その人に何らかかのスペシャリティがあり、そこで磨かれた何かがあって、その結果として備わるものではないかと思います。

# 忙中に閑を摑む

2020年4月22日

## 人間の在るべき姿を求めて

「ビル・ゲイツの成功を支えてきた『4つの習慣』とは？」（2020年2月9日）と題された記事がフォーブスジャパンにありました。彼は「多忙な日々の中でも大切にしてきた習慣」の一つとして、1980年代から年に2回程1週間の「考える週」を確保し続けてきているようです。

ゲイツ氏は「その期間は仕事をせず、家族との連絡も絶って、じっくり自分の夢や目標を見直し、気持ちをリセットする時間に充てている」とのことですが、私は何々を絶つとか期間云々でなしに、少なくとも週に一度ぐらい静かな環境に身を置くということは大変有意義だと思っています。

日頃「忙しい、忙しい」と言っている人ほど、私から見て忙しくない人が結構いるように思います。そうした類の人達は、真に向き合うべき事柄に取り組まず、つまらぬ事柄をやり過ぎていることの方が多いような気もします。

「忙」という字は「心」を表す「忄」偏に「亡」と書きますが、そのような人々は心を亡（な）くす方に向かっているのかもしれません。そしていよいよそれが高じて、睡眠不足になり鬱病になることもあるわけです。だから東洋哲学では、「静」や「閑」ということを非常に大事にしています。

例えば、明治の知の巨人・安岡正篤先生も座右の銘にされていた「六中観（りくちゅうかん）：忙中閑有り。苦中楽有り。死中活有り。壺中天有り。意中人有り。腹中書有り」の第一に、「忙中閑有り」とあります。

「閑」とは門構えに「木」と書くように、ある家の門を開けて入った先に木立があり、静かで落ち着いた雰囲気がある様を指します。つまり「閑」には「静」という意味があるのです。そして、そこに居れば都会の喧騒や様々な煩わしさを防ぐことが出来ます。だから

「閑」には「防ぐ」という意味もあります。勿論、「暇（ひま）」という意味もあります。

安岡先生は「忙中に掴（つか）んだものこそ本物の閑である」と言われていますが、忙しい中でも自分で「閑」を見出して、静寂の中で心を休め、瞑想に耽りながら、様々な事象が起こった時に対応し得る胆力を養って行くことは必要だと思います。

あるいは、『三国志』の英雄・諸葛亮孔明は五丈原で陣没する時、息子の瞻（せん）に宛てた遺言書の中で、「澹泊明志（たんぱくめいし）、寧静致遠（ねいせいちえん）」という有名な対句を認（したた）めました。

之は、「私利私欲に溺れることなく淡泊でなければ志を明らかにできない。落ち着いてゆったりした静かな気持ちでいなければ遠大な境地に到達できない」といった意味です。苛烈極まる戦争が続く日々に、そうした心の平静や安寧を常に保ってきた諸葛亮孔明らしい実に素晴らしい味わい深い言葉だと思います。

このように「静」ということは非常に大事です。ずっと齷齪（あくせく）しているようでは、遠大な境地に入ることは出来ません。時として自分をじっくり振り返り、あるいは何も考えないで唯々心を休める時間を持つことが大切なのです。

単に「忙しい、忙しい」で終わってしまうのでなく、もう少し違った次元に飛躍するため、「閑」を意識的に作り出して行き、ものを大きく考えられるようにするのです。ふっと落ち着いた時を得て心を癒し、短時間で遠大な境地に達し、それを一つの肥やしとして"Think Big."で次なるビッグピクチャーを描いて行くことも出来るでしょう。

最後に、安岡先生の御著書『人生の大則』より次の指摘を紹介しておきます。

——我々はいろいろ本を読んだり、趣味を持ったりするけれども、案外人間をつくるという意味での学問修養は、なかなかやれないもので、とにかく義務的な仕事にのみ追われて、気はついていても人格の向上に役立つような修養には努力しない。少し忙しくなってくると、そういうことを心がけることはできにくいもので、地位身分のできる頃に、悲しいかな自分自身は貧弱になる。

「忙しい、忙しい」と言う人に限って自己修養をしていません。すると、自分自身の地位身分が出来た時に恥を掻(か)くことになってしまうわけです。将来嘆きたくないのであれば、忙中にも「閑」を見つけて自己修養せねばなりません。

人間の在るべき姿を求め、その目標に向かって修養・努力し続ける必要があります。『易経』に「天行健なり。君子は以って自彊して息まず」とあるように、我々も日々やむなき努力を続けねばならないのです。

# 小善は徳をもたらす

2020年7月3日

## 人間の真価は小事に現われる

徳を持つことを望むなら、毎日善をしなければならない。一善をすると一悪が去る。毎日善をすれば、毎日悪は去る。昼が長くなれば夜が短くなるように善に励めば、すべての悪は消え去る――之は内村鑑三著『代表的日本人』で紹介されている日本の先哲・中江藤樹の言葉です。徳を積む、取り分け陰徳（陰の徳、誰見ざる聞かざるの中で世に良いと思うことに対して一生懸命に取り組むということ）を積むのは、極めて難しいように思います。

松下幸之助さんも御著書で言われている通り、「技術は教えることができるし、習うこともできる。けれども、徳は教えることも習うこともできない」のです。徳を身に付けるのは修養に尽きるのであって「徳を高めるコツ」など有り得るはずもなく、自己向上への努力を惜しまず死ぬまで続けねばならないものです。

例えば2020年6月8日、「松山英樹×石川遼 新型コロナウイルス感染拡大防止支援プロジェクト」が立ち上がりました。「ヤフオク！でチャリティオークションを開催、さらにスペシャル動画を配信！」とのことで、医療従事者に対する寄付等非常に気持ち良いニュースだと感じました。このような取組みを彼らが何気なく出来るようになっているのは、やはりそれなりのある種の修養をしているからでしょう。こうした運動選手は本当に大変な毎日毎日の練習の結果で今日があるわけで、その中で人物が出来てき、今回のような善行が何気なしに出来るということではないかと思います。

残念ながら、自宅の前だけを掃除し隣近所へそのゴミを持って行くような人もいます。そうではなくて自分が掃除する時に隣近所もついでに綺麗にしておくような親切心を有する人が人間として立派だと思います。このように自分だけでなく自分を取り巻く環境の中で、ちょっとした良いアクションを習慣的に取って行ければ修養が足りていると言えましょう。

あるいは此のウィズコロナの時代において、マスクも着けずに歩いている人も散見されます。自分のことだけを考えて、人のことを全く考えないわけです。自分がもし感染していたら人にうつさないようにする、ということも立派な一つの善行であります。「人間の真価はなんでもない小事に現われる」とは安岡正篤先生の言葉ですが、人間の品性・品格といったものは、その日その時の何気ない立ち居振る舞いに全て現れてくるのです。

ですから両親は我が子が小さい時に正しく躾（しつけ）（外見を美しくすることではなく、心とその心が表れた立ち居振る舞いを美しくすること）て、良き習慣を出来るだけ身に付けさせねばなりません。そして自分自身は、平生のあらゆる社会生活を通じて、「昨日より今日、今日より明日、人間として立派になろう」という気持ちをつくって行く。「今日は何か世のためになることをしたか？」と寝る前に自分に問うてみて、朝起きたならば「今日は之だけ世のためになることをしよう」と考えながら生きる。此の習慣の中で、人物が鍛えられて行くのです。

七仏通戒（しちぶつつうかい）の偈（げ）（過去七仏が共通して受持したといわれる、釈迦の戒めの偈）の内2句、「諸悪莫作（しょあくまくさ）・衆善奉行（しゅぜんぶぎょう）」にあるように、そういうことが、善行を施すことが非常に大事にされている仏教の考え方にも繋がるのではないかと思います。最後に本ブログの締めとして、「積善」ということにつき中江藤樹の次の指摘を紹介しておきます。

――人は誰でも悪名を嫌い、名声を好む。小善が積もらなければ名はあらわれないが、小人は小善のことを考えない。だが、君子は日々自分に訪れる小善を疎かにしない。大善も出会えば行う。しかし、自分からは求めないだけである。大善は少なく小善は多い。大善は名声をもたらすが、小善は徳をもたらす。だが、世間では名を挙げるために大善を求める。すると、大善さえ小さくなる。君子は多くの小善から徳を生み出す者だ。徳にまさる善はない。徳はあらゆる大善の源である。

# 一に人物、二に能力

2020年7月9日

## 人間力と成長のポテンシャル

以前あるインターネット調査で、「あなたご自身やあなたの生活にとって、現在、必要でないと思うもの」を問うた結果、1位「学歴」(28・6%)・2位「資格」(22・2%)・3位「車」(20・7%)・4位「生命保険」(14・0%)、といったものがありました。「学歴」で言うと、「男性の全年代で1位～3位、女性の全年代1位～2位(中略)男女とも年代が高くなるほど必要としない」と回答していたようです。

例えば私どもSBIでは、学閥・門閥・閨閥(けいばつ)・性別・国籍等この類の全てを問いません。ですから入社時の私の最終面接では、「学校の成績がどうだったか」や「出身大学はどこか」、あるいは「大学を出ているか否か」等々に触れることはありません。私が多くの人を採用し登用する基準は、一に人物、二に能力や知識です。能力を見る場合は、その人の持つポテンシャルが極めて大切だと思っています。

これまで身に付けた知識・経験を重視するというよりも、その人間がどれ程の伸び代を有しているかを何時も見ようと心掛けているわけです。学歴というのは、過去のものです。此の学歴が何かを示すとしたら、ある程度のＩＱの高低、及び勤勉家・努力家か否か、といった程度でしょう。

世の中には、全く勉強しなくてもＩＱがとても高く、大変な潜在力を持つ人がいます。彼等彼女等に様々な動機づけを行って、仕事に対する意欲を持たせると物凄く伸びるわけです。そういう意味で私は、此のポテンシャルが非常に大事だと思っています。更には、決まった仕事を熟すことに秀ずる人がいる一方で、決まった所からどんどん食み出て行くような世界の中で力を発揮できる人もいます。色々ありますが、之も言ってみればポテンシャルということでしょう。

私が挙げた右記2点に比して、学歴・資格・車・生命保険といった類は殆ど意味を為しません。何故かと言うと、それら全ては成功すれば時間の問題で得られるからです。昔から「売り家と唐様で書く三代目…初代が苦心して財産を残しても、3代目にもなると没落してついに家を売りに出すようになるが、その売り家札の筆跡は唐様でしゃれている。遊芸にふけって、商いの道をないがしろにする人を皮肉ったもの」と言いますが、之は人物が出来ていないからです。

非常に裕福な家庭に生まれ莫大な相続財産もある人は、言うまでもなく車や生命保険など容易く手に入るでしょう。また学歴もお金で買うか、家庭教師を一生懸命雇う等して得られるかもしれません。そして資格に関しても、資金や時間に余裕があれば専門学校にも通え、楽に取得できると思われます。

しかし事の本質は、人間力と成長のポテンシャルにあるのです。それらが不十分だと、車や生命保険あるいは学歴や資格が満たされても、何時その家が没落して行くかといった話になるでしょう。此の本質を見極めることが求められます。私は之こそが、結婚相手としても一番大事ではないかと思っています。

# いま二宮尊徳の教えに学ぶ

2020年8月6日

## 己の全人生を世のため人のために捧げた尊徳翁

拙著『森信三に学ぶ人間力』（致知出版社）の第1部・第3章、私は「〝野にいた哲人〟に学ぶ」と題して次のように述べました。

――森先生の思想は確かに（東洋の道徳と西洋のそれを融合させようとされた）西晋一郎先生（広島高等師範学校）から大きな影響を受けていると思います。しかし、私にはそれ以上に、江戸時代の中江藤樹、石田梅岩、三浦梅園といった人たちの影響を受けているのではないかと感じられます。さらにいえば、最も大きな影響を受けたのは二宮尊徳翁かもしれません。

（中略）すなわち『二宮翁夜話』や『報徳記』から「真理は現実の只中にあり」「人生二度なし」という、森先生の人生を貫く二つの大きな確証を得るのです。

己の全人生を世のため人のために捧げた尊徳翁は、600以上の荒廃した村々を復興し、その過程で多額の資産を築くことが出来たにも拘らず、報奨金の全てを農村復興に注ぎ込んだ偉大な人物です。「おそらく古来尊徳翁ほどに微賤な身分から身を起こして、一般の庶民大衆にも近付きやすい大道を示された偉人は、比類がないと言ってもよい」（『修身教授録』）と思います。

森先生は、此の「尊徳翁という巨人は、日本民族の生んだ最大の思想家にして実践者」であるとされ、また「日本は2025年に立ち上るであろう。しかしその再起再生の原動力になるのは、二宮尊徳の教えに基づくほかない」と言明されておられます。例えば渋沢栄一翁も「二宮先生の遺法は…わが国家の財政上にこれを応用いたさねばならぬと考える。あくまでも先生の遺されたる以上四ケ条の美徳（至誠、勤労、分度、推譲）の励行を期せんことを希（こいねが）うのであります」と言われています。

此の「四ケ条の美徳」は正に森先生が指摘せられた、その「教え」と言えましょう。2019年6月に、当ブログでも御紹介した映画『二宮金次郎』の冒頭、尊徳翁は「分度：自分の置かれた状況や立場を弁え、それに相応しい生活を送ること」が如何に大切なことであるかを説かれます。『中庸』に「君子は其の位に素して行い、其の外を願わず」とあります。所謂「素行自得」という言葉でありますが、どのような環境であってもそれに応じて自らを得るということです。こうした教えと共通する概念です。日本では封建的だと認識された部分がありますが、必ずしも身分だけを象徴しているものではありません。現に母子家庭・貧農出身の尊徳翁その人が、帯刀を許されるまでに成ったわけです。

あるいは「一円融合」も挙げられましょう。之は、「世の中には、対立するものなどない。敵も味方も、善も悪も、みな一つの円の中に入れて観ることだ。『一円』となったときに初めて、成果が生み出されると考えよ」といった教えです。恨みや憎しみ等の感情から全て解放されて行くということで、結局私がよく言う「相対観からの解脱」とも相通ずるものだと思われます。

それから「積小為大：小を積みて大と為す」「心田開発」等々、その「教え」はまだまだ挙げられましょう。志同じくした者が精神的にも経済的にもより豊かな生活が送れるようして行くべく、尊徳翁は、「心田」を開拓すること及び荒れた農地を開墾して行くことの二つを生涯の使命としたのだと思います。

右記の如き思想哲学は、長きに亘り日本道徳教育の中心であって、我々が子供の頃には殆どの小学校に、柴を担ぎながら中国古典を読んで歩いている尊徳翁の像がありました。しかし近年その撤去が著しく進んでおり、私は「日本人も此の優れた先達の教えを何故教えるのをやめるのかなぁ」と、つくづく残念でなりません。「金次郎さんの像」については嘗て、「今日の森信三（505）①・②、（506）」として次のようにツイートしたこともあります。

――金次郎さんの姿は、年端もゆかない少年の身でありながら、父を失った貧しい中から起ち上がり、刻苦精励して、後には多くの貧しい人びとを救ったその人生へのスタートを浮き彫りにした像なのであります。すなわち、その超凡なエネルギーが、そもそも如何なるところに基因するかということを象徴している姿であり、それは勤労と勉強という、ともすれば結びつき難いこの二つの働きを、一身の上に切り結ばせつつ動的に統一している、最も具体的な人間像と言ってよいでしょう。二宮尊徳は、それを踏まえつつ、やがて広大な世界観と人生観を築き上げると共に、そこから強靭無比なエネルギーが絶えず噴出して、その生涯を救民済世のために、文字通り東奔西走した、民族の代表的巨人の一人というべきであります。

日本人なら、映画『二宮金次郎』を見て、その尊徳翁の人間力・生き様・高い志に感動を覚えない者は略(ほぼ)いないと思います。私自身非常に感動を受け涙しながら見たもので、映画で描かれている尊徳翁の教えの偉大さに多くの人が深く感銘を受けることでしょう。当社グループや投資先企業でも研修に用いる当該映画ですが、皆様におかれましても是非社員教育の一助とされてみては如何でしょうか。

# 過ちて改めざる、是れを過ちと謂う

2020年10月2日

## 過った後の行動がどうなのか

『論語』の「雍也第六の三」に、「弟子、孰か学を好むと為す…お弟子さんの中で誰が学問好きですか？」という魯の哀公の質問に対し、孔子が「顔回なる者あり、学を好む。怒りを遷さず、過ちを弐びせず…顔回と言う者が学問好きで、人に八つ当たりせず、同じ過ちを犯すことはありませんでした」と答える一節があります。

孔子は顔回の「学を好む」部分だけではなく、わざわざ「過ちを弐びせず」という部分も褒めて言っているわけです。孔子も、それを非常に立派な行為として見ていたのだろうと思います。此の顔回というのは、元気であれば孔子の後を継いだ人間で、孔子の言が正に天の言と思って生きてきた人物です。

「既に吾が才を竭くす。立つ所ありて卓爾たるが如し。これに従わんと欲すと雖も、由なきのみ」(子罕第九の十二)とは顔回が嘆息して発した言葉ですが、顔回が前に進んでも孔子は常々更に先に行っている、というように孔子に心から私淑してきました。

『論語』の「為政第二の九」に、孔子が顔回を評した次の面白い話があります——吾回と言うこと終日、違わざること愚なるが如し。退きて其の私を省れば、亦以て発するに足れり。回や愚ならず…顔回と一日中話をしていても、なんでも「はいはい、はいはい」というばかりで、一切反論しない。その様子はまるで愚か者のようだ。しかし、顔回の普段の様子を見ていると、私の言葉をしっかり守って実行している。そういうのを見ると、顔回は愚かじゃない。

孔子自身も言っているように、決して同じ過ちを犯さなかった顔回は普通の人間ではないのでしょう。しかし我々普通の人間は、ごく普通に過つものです。そしてまた、それを繰り返すことも、ごく普通にあります。我々は、その繰り返しを出来るだけ減らして行くということに、努めねばなりません。

　では如何にしてそれを減じて行くかと言えば、先ず己の言動が間違いであるということを、深く認識せねばなりません。次にそれを改めるべく、具体的なアクションが求められます。簡単に忘れぬようメモをし、毎日それを見る。それを壁に貼るのも結構で、毎日読み上げる――一度深く認識したつもりでも二度三度四度と繰り返し、出来得る限り同じように過(あやま)たぬようにして行くのです。

　私は常日頃、自分自身にも社員に対しても「過ちは過ちと認めて、過ちを二度と繰り返さないように」と言い聞かせています。過ちは誰でもするものですから、過つことは仕方がありません。但し、過った後の行動がどうなのかが問題になります。「小人の過つや、必ず文(かざ)る」（子張第十九の八）というように、とかく小人は自分が過った場合それを素直に認めずに、人のせいにしたり、あれこれと言い訳をしたりするものです。

　そうではなくて「君子は諸(これ)を己に求め」（衛霊公第十五の二十二）、繰り返し過たぬよう細心の注意を払うことが大事であって、それを改めようとしないのが本当の過ちであります。「過ちて改めざる、是れを過ちと謂う」（衛霊公第十五の三十）わけで、君子たる者「過てば則(すなわ)ち改むるに憚(はばか)ること勿(なか)れ」（学而第一の八）という姿勢を持たなければならないのです。

# 良心というもの

2020年12月30日

## 嘘いつわりのない、ありのままの心で

「真善美を探求する」（2020年12月2日）と題したブログ記事で、私は次の通り述べておきました――真善美を追求すると言っても結局のところ、最後は人間としての良心を信じて生きることでしかないものだと言えるのかもしれません。『大学』に「明徳を明らかにする…自分の心に生まれ持っている良心を明らかにする」とあるように、人間である以上みな良心というか明徳というものがあるわけですから、やはり最終的には此の明徳に頼って自分の良心の声を聞き、そして自問自答する中で物事を判断するしかないのだろうと思います。

例えば、自分の親が死んだら悲しいとか子供が産まれたら嬉しいとかの類は、世界共通の一種の真理と言えましょう。私は、そうした普遍の真理の根源にあるのが、良心というものだと思っています。

人間である以上そうした根源的なものがちゃんと天から与えられ、そして一つの道徳観として小さい時から醸成されています。孟子流に言えば、正に「惻隠の情」というものです。子供が井戸に落ちそうになっていれば、危ないと思わず手を差し延べたり助けに行こうとする人として忍びずの気持ち、即ち「惻隠の情」であります。私は之こそが、良心の根源にあるものではないかと思っています。そういった物の考え方をするのは、私が基本的に性善説に立っているが故かもしれません。

しかし、本来人間は皆「赤心」（嘘いつわりのない、ありのままの心）で無欲の中に此の世に生まれ、誰もが持っている良心というのは欲に汚れぬ限り保たれて行くものであります。ですから、冒頭挙げた『大学』では「明徳を明らかにする…自分の心に生まれ持っている良心を明らかにする」ことが大切だと「経一章」から教えているのです。

『三国志』の英雄・諸葛孔明は五丈原で陣没する時、息子の瞻に宛てた手紙の中に「澹泊明志（めいし）、寧静致遠（ねいせいちえん）」という、遺言としての有名な対句を認め（したた）ました。之は、「私利私欲に溺れることなく淡泊でなければ志を明らかにできない。落ち着いてゆったりした静かな気持ちでいなければ遠大な境地に到達できない」といった意味になります。

明徳が私利私欲の強さに応じ次第に曇らされて、結局は明がなくなって行くといったことにならぬよう、私利私欲を遠ざけ何事に囚われるのではなく、無垢な生地の自分というか赤心というものを維持して行くことが、私は一番大事だと思っています。孟子が「大人（たいじん）なる者は、其の赤子の心を失わざる者なり」と言っている通り、大徳の人と言われる程の人物は、何時までも赤子のような純真な心を失わずに持っているものです。

# 知性の高い人

2021年2月18日

## 「思考の三原則」に則って

アイルランド出身の作家・オスカー・ワイルド（1854年―1900年）は、「現代は労働過剰で教育不足の時代だ。人々は勤勉になるあまり、完全に知性を失っている」という言葉を残したとされています。あるいはレオナルド・ダ・ヴィンチ（1452年―1519年）は、「何かを主張をするのに権威を持ち出す人は全て、知性を使っているのではなく、ただ記憶力を使っているだけである」との指摘を行っていたようです。

このように知性について、偉人と称される様々な人が色々な言い方をしています。国語辞書を見ますと、知性とは「①物事を知り、考え、判断する能力。人間の、知的作用を営む能力」「②比較・抽象・概念化・判断・推理などの機能によって、感覚的所与を認識にまでつくりあげる精神的能力」と書かれています。

「知性」について私が思うところを簡潔に述べて行きますと、先ず知性の高い人というのは言うまでもなく、学校で学ぶ主要五教科（英語・国語・社会・数学・理科）の成績が非常に優秀な人を指している言葉だとは思いません。それは、私が私淑する安岡正篤先生の言葉を借りて言えば、「思考の三原則」に則って物事を考えられる人を指しているのでありましょう。

即ち、「枝葉末節ではなく根本を見る」「中長期的な視点を持つ」「多面的に見る」の三つの側面に拠って物事を考察できるということです。此の正しい考え方を身に付けた人は、かなりの程度で物事の本質を見極められる知性の高い人と言えるのではないかと思います。

そして更には知性の高い人の知を仏教流に述べるとすれば、「徳慧：とくけい、とくえ」と言われる「知」が挙げられましょう。之は、仏教において一切の諸々の智慧の中で「最も第一たり、無上、無比、無等なるものにして、勝るものなし」と説明される、「般若」の智に通ずるものとされています。

終局的には悟りに至る実践的な智慧と言っても良いかもしれませんが、そうした知恵というのは、学んで理解する「学知」を越えたものです。「知行合一：ちぎょうごういつ、ちこうごういつ」を進める中で様々修行した徳性の高い人間にあって初めて得られる知恵であります。

こうした類のものは、学力試験などでは全く計り得ません。学校の成績は一部学力を計る上での目安になるかもしれませんが、その人間が有する全人的な知力を計る上では、ほぼ役に立たないのです。私は、己を知り、人を知り、世のため、人のため、に活きるような知恵を身に付けた人でないと、本当の意味で知性が高い人とは言えないのではないかと思っています。

因みに、弟子から「どうやってあなたは悟りをひらきましたか」と聞かれたお釈迦様が「自分は六波羅密（ろくはらみつ）を実践した」と答えた、といった話も含め、徳慧や般若に関しては「直観力と古典」（2010年3月1日）と題したブログでも詳述しましたので、御興味のある方は是非そちらも御覧頂ければと思います。

# 判断の規矩を持つ

2021年2月26日

## 「揺るがない自分」とは何か？

裏切られたとか期待していたとか言うけど、その人が裏切ったわけではなく、その人の見えなかった部分が見えただけ。見えなかった部分が見えたときに、それもその人なんだと受け止められることができる、揺るがない自分がいることが信じることと思いました（2020年9月3日 ORICON NEWS）――昨年ある映画の完成報告イベントで、「信じる」ということにつき、女優の芦田愛菜さんはこう述べられたそうです。

そして彼女は更に、「揺るがない軸を持つことは難しい。だからこそ人は『信じる』と口に出して、成功したい自分や理想の人物像にすがりたいんじゃないかなと思いました」と続けられたとのことですが、未だ16歳にして確かにある種の悟りを開いたかの様にも感じられます。

他方同時に、「揺るがない自分がいることが信じること」と言われていますが、「揺るがない自分」が何であるかは不明瞭で、突き詰めて行くと何か考えてしまうような難しい話です。「揺るがない自分」を揺るがすのは、一体何なのでしょうか。私に言わせれば先ず大前提として、真に判断の規矩（考えや行動の規準とするもの）を持っていれば、自分が揺るがずにいられるのだと思います。

私は次の三文字、「信…約束を破ったり信頼を裏切るような事をしない事」「義…正しい事柄を行う事」「仁…相手の立場になって物事を考える事」を、何時もあらゆる判断をする場合の規矩としています。事に当たる時、この三文字に照らし合わせ自分自身に厳しく問うて判断すれば、軸がぶれることなく的確に対処できると思っています。

人間、軸を持っていないと常にぶれます。芦田さんがどうやって気付いたのかは分かりませんが、冒頭の引用からは彼女がある種の軸を持っていることは窺い知れます。但し、それが如何なる軸であるのかは判然としません。

併せて人のことに関して言えば、やはり人を判断する時には自分の目で見て、自分の耳で聞いて確かめることが不可欠です。単に「誰々が言っていたから」といった程度の噂の類で人を評するのではなくて、自分自身で見たもの・聞いたものの内、十分確かめられた事柄以外ある意味判断の材料にしない、ということが我々の考え方として一つ求められるように思います。

単なるイメージで勝手にその人物像を作り上げた後、「その人の見えなかった部分が見えた」のであれば、そもそも自分の人を見る目が未だ出来ていなかっただけではないか、という風にも思えます。

２０２０年の米大統領選挙を例に挙げるまでもなく、これだけフェイクニュースが溢れる今の世で信じるに足る情報は、これまた限られているのかもしれません。ですから我々は何事においても、先ず判断の規矩を明確にした上で、自分の耳目で今迄よりも可能な限り徹底して様々な事柄をチェックして行く必要がありましょう。常々そう在らぬ限りは本当の信には繋がり得ず、大きな間違いをおかすことにもなるのです。

# 第3章

# 人を動かし、世を動かしていく

# 天の力を借りられる人

2019年9月26日

## 誰にも劣らない最高の熱意を

株式会社致知出版社の代表取締役社長・藤尾秀昭さん曰く、「一代で偉業を成した人は皆、天の力を借りられた人である。エジソン然り二宮尊徳然り、松下幸之助氏も稲盛和夫氏もそうである。では、どういう人が天から力を借りられるのか。その第一条件はその人が自らの職業にどれだけの情熱を注いでいるか――この一点にあるように思える」とのことです。

此の情熱に関しては、拙著『人物をつくる―真の経営者に求められるもの』（PHP研究所）で松下幸之助さんの挙げられる指導者の資質条件につき、次の通り述べました。

――松下さんの話では百二の資質が必要だということですけれども、指導者には非常にたくさんの資質条件が必要です。（中略）第一の資質条件は、熱意を持つということです。それも、誰にも劣らない最高の熱意を持つということです。知識や才能は、人に劣っても構いません。しかし、こと熱意に関する限り、指導者は誰にも勝る熱意を持たなければならないと僕は思います。

指導者になりたいと思う人は、情熱から全てが始まるということをよく理解しなければなりません。他方、情熱を持っていたら天の力が借りられるかと言えば、それはまた別の話です。それは、如何なる事柄に情熱を注いでいるか、が大事になると思います。世のため人のためになる何かに対して情熱を燃やし、強い意志を持って是が非でも成し遂げようと取り組んでいる場合は、ひょっとしたら天の力を借りられるのかもしれません。

世の中には運だけで偉業を成し遂げたという人もいるかもしれませんが、そうした人は極々稀でその殆どは多くの人間の支えを受け社会から重用されて成功に至るものです。そして彼らの足跡を訪ねてみれば、決して私利私欲のためには生きていません。世のため人のため尽くす気持ちを常に失わずにいる人が、結局天より守られて後世に偉大な業績を残しているわけです。

「善因善果・悪因悪果…良いことをやれば良い結果が生まれ悪いことをやれば悪い結果が生まれる」という禅語がありますが、その善い因とは一言で言えば正に此の「世のため人のため」であろうかと思います。社会正義に照らし合わせて正しい事柄を常日頃からやっているかどうか、そして毎日を私利私欲でなく世のため人のために生きているかどうか――天が味方するか否かあるいは良き運を得るか否かは、己の人生態度に尽きているのではないか、という気がします。

善因善果が良い出会い・良い機会に結び付きますと、結果として成功するといったことにもなって行きます。誠実に一生懸命やっていれば御縁を得た人々から色々な形でサポートを享受できる可能性も出てきて、そういう中で天の配剤が働いているが如き印象を得る部分があるのかもしれません。天が味方してくれているような気になるのは大いに結構で、そうして継続して善行を施して行けば良いのです。

最後に本ブログの締めとして、松下幸之助さんの言葉を紹介しておきます。松下さんは松下電器産業を大正7年に創立されますが、昭和7年5月5日に真の使命を知ったとして、その日を「命知元年」と名付けられ、全従業員を集めて「所主告示」という次の一文を発表されました。

——凡そ生産の目的は我等生活用品の必需品の充実を足らしめ、而してその生活内容を改善拡充せしめることをもってその主眼とするものであり、私の念願もまたここに存するものであります。我等が松下電器産業はかかる使命の達成をもって究極の目的とし、今後一層これに対して渾身の力を揮い、一路邁進せんことを期する次第であります。

ここには金儲けのことなど一言も書かれておらず、述べておられるのは正に世のため人のためという想いのみです。自ら私心・我欲を振り払い心の曇りを消しながら、世のため人のためを貫き通しその職責を果たして行く中で、はじめて天の御助けというのは起こってくるものではないか、と私は思っています。

# スタミナを持つ

2019年11月5日

## 骨力というもの

私は嘗て、「人生を生きて行く上で大事なこと」（2010年3月2日）と題したブログの中で、次の通り述べたことがあります。

――鉄血女史のマーガレット・サッチャー元英国首相は「指導者の条件」として「①スタミナを持つ、②決断力、③説得力、④孤独に耐える、⑤家族の協力を得る」の5つを挙げています（中略）。如何に自分を律するのかということとスタミナというものの関わりには非常に強いものがあります。

先ず②決断力および③説得力というのは、指導者の条件として特段の説明を要さないでしょう。また⑤家族の協力を得るというのも、ある意味当たり前の話です。取り分けサッチャー元首相は1人の母親でしたから、家族の協力を得ねばならない事柄が沢山あったのではないかと思われます。その時「孝」に貫かれた親子の信頼関係を醸成していれば、当然ながら子供とは協力を得ることが出来るでしょう。夫との良い協力関係も、別な形で作って行かなければならないでしょう。

ちなみに、此の孝の字義を述べますと、孝の字は「老」と「子」に分かれます。即ち孝というのは、「年をとって腰の曲がった老人が杖をつく形が老であり、それを子が支える形」、「年長の者が年下のか弱い者を庇う形」です。親と子が双方から慈しみ合い、力を合わせて労合い、助け合う姿が孝というものであります。

次に④孤独に耐える、とは一面で正しいと思います。要するに、様々な衆知を集め色々な人の意見は聞くものの、最終の判断を下す部分は独りで行い、その責任は自分が負わねばならない、といった意味において常に指導者は孤独です。但し、判断に至るまでの間は決して孤独ではありません。何故なら英知の結集に努めなければならないわけですから、必ずしも孤独であるということではないと思います。

最後に①スタミナを持つというのは、「骨というもの」（2019年8月7日）と題したブログで触れた骨力（こつりょく）の話です。私としては、右記指導者の条件5つの内で之が一番大事だと捉えています。私が私淑する明治の知の巨人・安岡正篤先生も、「人間の徳性の中でも根本のものは、活々している、清新溌剌（せいしんはつらつ）ということだ。いかなる場合にも、特に逆境・有事の時ほど活々していることが必要である」と述べておられます。人間やはり此の骨力というものが、極めて大事だということです。

骨力とは、安岡先生によると「人生の矛盾を燮理（しょうり）（やわらげおさめること）する力」のことと も言え、人間本来持っている生命力（包容力・忍耐力・反省力・調和力等）のようなものを指して言います。平たく言うと「元気」であって、骨力から気力・活力・性命力が生み出されます。

そうして骨力が気力を生み、次第に精神的に発達すると生きる上での目標・目的となる「志気」「理想」を持つようになるわけです。冒頭「如何に自分を律するのかということとスタミナというものの関わりには非常に強いものがあります」と書きましたが、私は全て此の骨力と関係していると思っています。

# 先を読む

2019年12月9日

## 現実の状況把握から得られる知見を利用

大事なのは予測能力。「読み」である。私に言わせると、「読み」は①見る、②知る、③疑う、④決める、⑤謀る、の五つの段階から成り立っている。この能力を身につけられるかどうかは、「他人よりいかに多く感じる力に優れているか」にかかっている――之は、ふた月程前にリツイートした「野村克也 名言集」のツイートです。

後段の「他人よりいかに多く感じる力に優れているか」は、「あらゆる本を読み、さまざまな人の話を聴きに行く」ことで磨かれるとは、正に言われる通りだと私も思います。本ブログでは以下、野村さんが5段階を想定されている「読み」に関し、私なりの手法を箇潔に申し上げて行きたいと思います。

先ず、先を読むべくは勿論、現況を把握するということが一つなくてはなりません。此の現実の状況把握とは、見る・知る・聞くといったことで成されます。そして次段階としては、その現状に何らかの問題がある場合、その原因を多面的かつ根本的に突き詰めて行き、結果その問題が将来どういう風に発展していく可能性があるかを見極めねばなりません。

あるいは逆に、その現状が非常に良好な場合、どのような方法でそれを維持・発展させて行くかを考えます。同時にまた、(a)その現状を崩し得ることが起こり得るのか、(b)起こり得るとしたら如何なることがあり得るのか、(c)それらは何時ごろ何を契機に起こる可能性があるのか、等々そういった諸々の事柄を更に考えて行くのです。

何れにせよ、現実の状況把握から出発して得られる様々な知見を利用して先を読んでいくわけですが、その時私は取り分け次の3点に思いを致すようにしています。

第一に、物事の発展の仕方には、ある種の法則が働くケースが数多あるということです。例えばヘーゲルの弁証法に見られる通り、物事は螺旋階段上に進むのではないかと捉え、当該法則が当て嵌まるか否かを考えます。即ち、飛脚が郵便に、競り市がネットオークションに、幌馬車が電車等々に発展したといった端的な例が示すように、横から見た時に上に向かってちゃんと進歩して行っているという反面、昔から人間が欲していた役割・サービスが動力化・ネット化されたりするだけで、上から見たら不動の如き世界がそこにあるからです。

第二に、『論語』に「故きを温ねて新しきを知る」（為政第二の十一）という有名な一節がありますが、未来を予測する場合は時空を超え、温故知新が必ず参考になるということです。例えば私は年始の恒例で、弊社の年賀式に於いてその年の干支（十二支と十干）から年相を占うことを自ら掲げ、毎年表明しています。之は、長きに亘る人類の統計データから得られた一種の周期性・法則性に基づく知見をベースに、未来を予測するといったやり方です。過去、現在の積み重ねの上に未来は構築されて行くわけで、どうしても歴史に学ばなければなりません。

第三に、これまではどちらかと言うと過去をベースにした先の読み方ですが、過去に全く起こっていない事柄も常に新たなものとして未来に起こり得るということです。庶民的に言えば、之は「まさかの坂」であります。時代が変われば今常識とされている事柄が非常識になったり、逆に嘗ての非常識が常識といった形で塗り替えられたりし得るのです。

例えば古代・中世の宇宙観である「天動説」という一つの常識に対し、「地動説」という非常識的な太陽中心説を主張したガリレオ・ガリレイが、「宗教裁判でその説を撤回させられたときに、つぶやいた」とされる言葉、「それでも地球は動いている」とは正にコペルニクス的転回でありました。我々は常時、一人の天才がある種の閃きにより新しい世界を創ることもあり得ると意識し、未来を予測して行かねばなりません。

以上、思いつくままに述べてきましたが、私の場合は大きく言って右記のような手法で先を読んでいくということを行っています。

# 度量というもの

2019年12月13日

## 自分を育てるものは結局自分である

嘗て私は「今日の安岡正篤（534）」と題して、次のようにツイートしました。

――〝あの人は度量が大きい〟と申します。これは知識・器（うつわ）の勝れていることでありま す。一般に広く通用しているものでは「器量」という語。人間が精神的に発達するにつれて次第に器ができ、その器は物を入れること、計ることができます。量は枡であります。また、長さ、進歩を表す意味の「度量」の度は物差しであります。そこで器にこの度をつけて「器度」、あるいは量をつけて「器量」などと言います。

此の器量・度量というものをもう少し具体的に言えば、佐藤一斎の『重職心得箇条』に、「度量の大たること肝要なり。人を任用できぬが故に多事となる」(第八条)、及び「人を容るる気象と物を蓄る器量こそが大臣の体なり」(第十一条)と書かれています。また、中国明代の著名な思想家・呂新吾が『呻吟語』で論ずるように、第一等の大臣というのは「寛厚深沈、遠識兼照…度量広く落ち着いて、遠大な見識をもってあらゆるものを照らして行く」とされています。

では、如何なるやり方で此の度量を大きくして行けば良いのでしょうか。私が考えるに一つには先ず、度量が大きいと思う人を見出すことだと思います。そして、その人に比して自分自身はどういう点で度量が小さいか又どうすればその足りないものを埋めて行くことが出来るか等々考えて、その人に一歩でも二歩でも近づくべく常日頃から自分で自分の資質を磨く努力を怠らないことでしょう。

また、その人の謦咳に接することが叶わぬ場合は特に、例えば歴史上偉人と称せられる人物の自叙伝や伝記を沢山読み込んで様々な教えを学び、それを知行合一的な修養を積んで血肉化して行くということが極めて大事だと思います。陽明学の祖・王陽明の言葉通り「知は行の始めなり。行は知の成るなり」で、そういう努力がずっと積み重なる中で自然と度量とか器量とかいうものが身に付き、自分もある程度の人物になって行くのです。

「自分を育てるものは結局自分である」と、明治から昭和の国語教育者・芦田恵之助先生も言われるように、自分を築くのは自分しかないわけで、本人が不断に努力し続けることが全てであります。そして自分を築くべく自分は何を為すべきかを見出す過程で、偉大なる人の生き様や思想等に学び、それが「真似ぶ」になり知行合一的に自分自身も感化されて行く、ということだろうと思います。

最後に本ブログの締めとして、私の社長室隣接の会議室に飾ってある『易経』の言葉、「天行健なり。君子は以って自彊して息まず。地勢坤なり。君子は以って厚徳載物」を御紹介しておきます。

――太陽は一日も休むことなく動いている。それと同じように君子たるものは一日も休むことなく、努力し続けないといけません。この母なる大地はあらゆる生きとしいけるものをはぐくみ育てている。それと同じように君子は大きな度量を持って、全てのものを受け入れないといけません。

# 未来を予測するために

2020年1月24日

## 「愚者は経験に学び、賢者は歴史に学ぶ」

ＢＳフジの私がナビゲーターを務めていた番組「この国の行く末2～テクノロジーの進化とオープンイノベーション～」の先日の収録時、AI inside 株式会社（2019年12月25日東証マザーズに新規上場）の渡久地(とぐち)択社長が次のように話されて、実に素晴らしい人物だと感心しました。

20歳の頃（2004年）、年表を作った。「これから世の中がどうなるか」と考えて過去100年にさかのぼり、何年何月何日に何が起きた、多い日だと1日400項目くらい書き込んだ。過去を踏まえると、法則のようなものが見えてくる。量子コンピュータは２０１６年ぐらいに来る、とか。２０３０年にはガソリン車がなくなるだろう、とか…将来は「ＡＩ」と「宇宙」が大きなビジネスになると確信。特にＡＩは、２０１８年から２０２０年のあいだに、大きなイノベーションが起こることが見えてきた。ここに間に合わないと…と思ってやってきた。

将来を知るということは、ある面で事業の成功に繋がる重要な一つの鍵であります。そして未来を知る・将来を知る上で一番大事となるのは、実は過去を知るということです。当ブログ「先を読む」（２０１９年12月9日）でも、『論語』の有名な一節「故（ふる）きを温（たず）ねて新しきを知る」を御紹介しました。

あるいは、イギリスの詩人ジョージ・ゴードン・バイロンは「将来に関する予言者の最善なるものは過去である」と、また、アメリカの政治家ジョン・シャーマンは「将来に対する最上の予見は、過去を省みることである」と述べています。ギリシャの歴史家Ｄ・ハリカウナッセウスの「歴史は例証からなる哲学である」とは私も全く同感であり、だからこそ私は事毎にブログで「歴史・哲学の重要性」を説き此の2つを勉強するよう発信し続けているわけです。

例えば中国史上、貞観(じょうがん)の治(ち)（唐の第2代皇帝太宗の治世、貞観時代の政治）と称される最も良く国内が治まった時代を纏めた『貞観政要』（太宗と家臣たちとの政治上の議論を集大成し、分類した書）を読みますと、色々な意味で本当に参考になります。

此の書を「愛読」した日本の歴史上の人物として、北条政子・徳川家康・明治天皇が言われていますが、私は愛読といった言葉よりも「学んだ」と言う方が適切だと思います。徳川家康を例に述べるならば、彼がしっかりと『貞観政要』を読み込んだ上、更にそれを講義させ研究していたのは、あの貞観の治の時代における理想的な政治が如何に齎(もたら)されたかを知りたかったということでしょう。

当書にある有名な言葉「創業と守成いずれが難きや」が示す通り、創業には創業の難しさが守成には守成の難しさがあります。何れにしろ大事なポイントは、所謂「関ヶ原の戦い」までの家来達とそれ以後「徳川三百年」の礎を創って行く家来達とでは能力・手腕の違う人間であるべきで、天下統一後の家康は国づくりのステージに適した家来を自分の周りに置くようにしていたということです。

また仕組みづくりに関しても、彼は『貞観政要』に学び研究したのだろうと思います。オットー・フォン・ビスマルク（初代ドイツ帝国宰相）が言うように、「愚者は経験に学び、賢者は歴史に学ぶ」のです。過去を知ることが如何に大きな意味があるのか――皆様も歴史に学ばれてみては如何でしょうか。

# 人物を知る

2020年2月7日

## 君子としての生き方を如何に歩んだか

2020年、鈴木茂晴さん(日本証券業協会会長)に始まった「私の履歴書」(日本経済新聞)は2月現在、樂直入さん(陶芸家・十五代樂吉左衛門)が連載中です。思い返してみますと2019年、「平成最後の年の正月の連載」は石原邦夫さん(東京海上日動火災保険相談役)によるもので、一部で当時大変な話題となりました。

ある経営学者曰く、「僕が『私の履歴書』を読む動機は、それ(=経営者の自伝が勉強になるということ)以上に功成り名を遂げた人々の『センス』を知ることにある」とした上で、石原さんの連載につき、「他の大企業経営者と比べても、つまらなさの次元が違う。それがたまらなく面白い。（中略）その桁違いのつまらなさに、むしろ保険会社の経営者としての凄みを感じた」ということでした。

先ず、センスの有無と言いますと軽く・浅く感じられるため、私自身はそれに足る「人物」であるか否かとしたいと思います。その上で、私からすると、石原邦夫という御方は人物として非常に御立派な方と思います。また、「桁外れにつまらない」と評された連載に関しても、私自身はそういうふうにも思いませんでした。

ある意味非常に難しい時代に当たる指導者もいれば、その逆も然りです。それは、夫々の巡り合せによって色々な違いが起こってきます。概して、大変な難局を切り抜けたといった場合、多数の人がその社長を評価するでしょう。逆に、比較的大事が無く誰でも行けるような環境下で社長職を務めた人は、終生その人物に相応しい評価を受けることがないかもしれません。そういう意味では、様々な経営環境がその人の評価自体を決する部分も色濃くあろうかと思います。

唯、人物というのは経営環境に左右されるものではありません。それは、その人の生き方に依るものです。例えば、『論語』に「君子は人の美を成す」（顔淵第十二の十六）という孔子の言があります。人の長所は長所として認め、人の短所は短所として分かった上で、その「人の美」を追求し、「益々それが良きものとなるよう手伝ってあげよう」とか、「それでも補い切れない欠点は自分が何とかしてあげよう」とかと、思うのが君子の生き方なのです。

君子と小人の区別は、時代により人により様々です。拙著『君子を目指せ小人になるな』(致知出版社)第4章の3では、「私が考える君子の六つの条件」につき次の通り述べておきました――①徳性を高める／②私利私欲を捨て、道義を重んじる／③常に人を愛し、人を敬する心を持つ／④信を貫き、行動を重んじる／⑤世のため人のために大きな志を抱く／⑥世の毀誉褒貶(きよほうへん)を意に介さず、不断の努力を続ける。

その人が君子としての生き方を如何に歩んだかで、経営者としての評価が決すると私は思っています。君子たる道を歩む中で様々な事柄を経験し色々な判断・処理をしてきたもののの、それを文書にしてみたら大した事が起こっておらず大して面白味が無かったとしましょう。しかし、その人物は素晴らしい経営者ということではないでしょうか。

# 古典を読む

2020年2月21日

## 君子を目指し日々、人物を磨く

ダイヤモンド・オンラインに「大企業の社長が『古典』を読むのには理由がある」（2019年11月2日）と題された記事がありました。不肖私も紹介されております。立派な経営者、人物には教養人が多く、当然ながら彼らは様々な書物、取り分け精神の糧になるものを読んでいます。自分自身を更に成長させるべく、歴史の篩（ふるい）に掛かった古典を読むわけです。

『旧約聖書』に「天の下に新しきものなし」という言葉があります。現存する全ては形は違えど過去に出来たものであり、洋の古今東西を問わず人間性も変わらないのです。それ故古典に普遍妥当性が生まれ、それを今日まで生長らえさせ、二千数百年に亘りどの時代の人間が読んでも素晴らしいと思わせてきたのです。
従って古典を読まないと、世の真理や不変なものが十分に身に付いて行かず、非常に浅薄な人間にならざるを得ないのではないかと思います。以下、此の古典に限った事柄ではありませんが、書の読み方として私が大事だと思うポイントを三つ挙げておきます。

第一に、批判的に読むということです。「著者の主張は尤もだ。この本は良かった」「あぁ、この本も良かった」「これは良い本だなぁ。この人の考えは道理に適っている」等々と、その内容を次々鵜呑みにしてしまうのではいけません。『孟子』に「尽く書を信ずれば即ち書無きに如かず」とあるように、「書物を読んでも、批判の目を持たずそのすべてを信ずるならば、かえって書物を読まないほうがよい」のです。ちなみに、孟子の言う書とは『書経』を指しています。

第二に、主体的に読むということです。「その場面に直面したら、自分ならどうするか」「私はこう考えるが、なぜ著者はこのように考えるのか」等々と、常々主体的に考えながら読むのです。虎関禅師が「古教照心　心照古教」と言われたように、「心照古教」の境地に達することが良いとされています。そうかそうかと受動的な読み方、「古教照心」では活きた力にはなりません。

先哲の知恵を現代世界に投影してくる中で、何時の間にかその知恵と同じレベルに自分を置いて行くのです。そして自分の心が書物の方を照らす、「心照古教」という位にまで自分のものとし、先哲に「こんな考えもありますが、如何で御座いましょうか」と言える位にまでなって行けたら最高でしょう。残念ながら、こうした境地は小生も未だ達していないレベルです。

第三に、知行合一的に現実に活かすということです。知識は知識である限り、何も活かせません。歴史の篩に掛かった古典であっても、読破あるいは積読だけでは仕方がないでしょう。知で得たものを自分の血となり肉となるようにして行くのです。之は、行を通じて初めて出来るものであります。「知は行の始めなり。行は知の成るなり」（王陽明）です。

我々は君子を目指し日々、人物を磨かねばなりません。先達より虚心坦懐（きょしんたんかい）に教えを乞うと共に、社会生活の中で知行合一的に事上磨錬し続け、己を鍛え上げるべく励んで行くのです。その時に、右記三点を守りながら書を読む、取り分け精神の糧になるような古典を読むことが、私は非常に大事だと思います。

# 時務を識る

2020年4月8日

## 「情報洪水」で問われる選択眼

今般の緊急事態宣言に伴い、昨日（2020年4月7日）行われた記者会見で、安倍晋三首相は次の通り述べておられました。

――今、私たちが最も恐れるべきは、恐怖それ自体です。SNS（ソーシャル・ネットワーキング・サービス）で広がったデマによって、トイレットペーパーが店頭で品薄となったことは皆さんの記憶に新しいところだと思います。（中略）ただ恐怖に駆られ、拡散された誤った情報に基づいてパニックを起こしてしまう。そうなると、ウイルスそれ自体のリスクを超える甚大な被害を、私たちの経済、社会、そして生活にもたらしかねません。

また、「2月末から全国に広がったトイレットペーパーの買い占め騒動に関し、ツイッター上の投稿と商品の販売状況を分析すると、（中略）デマ投稿をそのまま目にした人はほぼいないのに、デマ否定の投稿が爆発的に広がるという皮肉な状況が生まれ（中略）、デマ否定投稿の急増と同時にトイレ紙の品不足が進んだ様子がくっきり現れた」（2020年4月5日 日本経済新聞）とも報じられています。

デロイトトーマツコンサルティングの試算に拠れば、スペイン風邪流行時（1918—1920年）の「情報伝達力…メディアの普及率と人口、1度に情報を送れる平均人数、1人が1日に受け取る情報量を掛け合わせて算出」を「1」とした場合、新型コロナウイルス流行時の現在は、SNSの普及等によりその149・9万倍にまで達しているそうです（2002年SARS流行時2・2万倍／2009年新型インフルエンザ流行時17・1万倍）。

此の一種の情報洪水下では、嘗てより遙かにフェイクニュースは伝搬し、人に誤解を与えたり、虚偽を真実と思わせたりするような事象が、非常に増えてしまいました。取り分け、インターネットで入手できる簡単な情報で作られた、所謂フェイクニュースが平気で流れています。しかし、その発信源に対する責任追及は実効性がないものです。我々は今回の右記騒動も踏まえ、その信憑性に疑義のある情報については、親切心に基づく否定投稿だとしても拡散しない、ということが大事になると思います。

何れにしろ、誰しもが真面な情報を如何に峻別して行くかが課題となっており、その選択で大変苦慮している部分がありましょう。此の取捨選択がきちっと出来ない限りフェイクニュースに振り回され続けるわけで、やはり自分で主体的にものを考え情報の真偽を見抜いて行く選択眼を持たねばなりません。

そのためには、時代の動きを明察し、時局を洞察し、英知と実行力を伴った見識（すなわち胆識）を以て如何なる事変にも悠然として処して行ける人物を目指す努力をし続ける必要があります。『三国志』の中に「時務を識るは俊傑に在り」という司馬徽の言葉がありますが、その俊傑に自分がなるしかないのです。深い洞察力で時代の流れをしっかり摑み、その中で何をすべきかを知る英傑を目指すのです。

# 亡きジャック・ウェルチ氏に思う

2020年4月15日

## セルフエボリューションの継続

『列子』に「大道は多岐なるを以って羊を亡う…大きな道には分かれ道が多い。だから逃げた羊の姿を見失ってしまう」という言葉があります。また西洋の有名な諺にも、「二兎を追う者は一兎をも得ず…If you chase two rabbits, you will lose them both」というのがあります。

省く・捨てる・消すといったことがちゃんと出来ないと「多岐亡羊」となって本質を見失い、結局どこに向かい何をしているか分からないようになってしまい兼ねません。それ故、一定の期間内に何が本当に良いものかを取捨選択する必要が出てきます。経営においても之は大事なことです。

米GE（ゼネラル・エレクトリック）元会長のジャック・ウェルチ氏は、所謂「選択と集中」の重要性を世に広めた経営者です。彼が成功裡にそう出来たのは、同社がそれだけ広大かつ多様な事業を有し、同時に業界のNo．1やNo．2事業を創り上げてきたからこそであります。

そのウェルチ氏が2020年3月1日、腎不全のため84歳で死去しました。彼が経営者として君臨していた20年の間、GEの「売上高は250億ドルから1250億ドルに、利益は16億ドルから150億ドルに（中略）時価総額は4000％拡大」（2020年3月5日付フィナンシャル・タイムズ紙）したとされ、彼は「20世紀最高の経営者」といった称賛を一身に浴びてきました。

しかしウェルチ後の20年はと言えば、2001年の「米同時テロの影響で主力の航空機エンジン事業が失速。後任のジェフ・イメルト氏は多角化路線の修正を余儀なくされ」（2020年3月2日 日本経済新聞）、2008年の「金融危機で巨額の損失が発生。メディア事業や家電事業を売却し、ウェルチ氏が育てた金融事業からも撤退したが現在も負の影響を残す」（同）といった有様です。

同じ文脈で、日産自動車前会長のカルロス・ゴーンという人が挙げられます。彼は1999年よりコストカッターとしての辣腕を振るい、結果として瀕死の日産を2年で「V字回復」へと導き、4年で2兆円の借金完済を成し遂げて、一時的に世に大いに持て囃されました。しかしそれから15年半を経て訪れたゴーン後の日産に対し、在任中彼がやってきた事柄に多くの知識人は今如何なる評価を下しているのでしょうか。

私は、本当に称賛を受けるべきは、「我より古（いにしえ）を作（な）す」べく自分で何かを創り上げ、それが五十年百年と長期的に発展するような仕組みを創り上げた人だと思います。しかし右記2名のケースは正に、自分の代が終わったら終わり、の典型であったと言わざるを得ません。報じられるゴーン氏の公私混同ぶりは言うに及ばず、彼らはそれ程の称賛に値しないと思います。

複雑系の世の中で何が正しいかは、時々刻々変化します。企業や事業を取り巻く環境は常に変化しますから、企業の永続は難しいことです。ウェルチ氏は生前、「自らの成功は後継者の実績によって評価されると語っていた」ようですが、イメルト氏以後現在に至る

GEの惨状はその評価を極めて厳しいものとしています。

　一時代でも世の中が大きく変化する中で、「会社を如何に進化させ続け、何百年もの間永続させ得るか」と私はSBIグループ創業当初から真剣に考えてきました。私が出した答えは、「自己否定」・「自己変革」・「自己進化」のプロセスを続けるしかないということです。

　それが経営理念の一つにも掲げている、「セルフエボリューションの継続」ということです。此のスピリットは私がトップの座を退いた後も、我がグループの最も大事な創業の精神として永続化せねばならないと思っています。そして社会の公器たるSBIグループは真に徳業を営む中で、永続企業（ゴーイングコンサーン）として発展を遂げて行かなければならないのです。

# 君子を目指す

2020年5月21日

## 常に主体性を明確に意識して

会社経営と一口に言っても、その組織には技術部もあれば管理部もあり、その管理部の中には経理や財務、法務や人事もあるといった具合に様々な要素で構成されており、実際に組織を一纏めにして運営をするのは大仕事です。また、何を以てスペシャリストとし、何を以てゼネラリストとするのかも、非常に不明瞭な話です。それ故、ゼネラリストだとかスペシャリストだとかは余り拘らなくて良く、私としては寧ろ拘るべきでもないと考えます。

例えば「プロ経営者」とも称される松本晃さん（元カルビー会長兼CEO）は、社長は「エキスパートではなく、ゼネラリストでいい」とされ、「社長になるための13科目」というのを挙げられています。そして中でも「経理・法律・英語」の3科目が特に重要で、他の10科目（人事・総務・マーケティング・情報技術・財務・製造・営業・品質・プレゼンテーション・一般教養）は「基本的な知識だけ押さえておけばいい」と言われているようです。

『論語』の「子路第十三の二十五」に、「其の人を使うに及びては、之を器にす…上手に能力を引き出して、適材適所で使う」という孔子の言があります。拙著『仕事の迷いにはすべて「論語」が答えてくれる』（朝日新聞出版社）では「君子は器ではなく、器を使うのが君子だ」と述べましたが、先ず社長はリーダーですから全体を上手く持って行くために「之を器にす」という心掛けが必要です。

その上で経理や法律、英語といった類は夫々、自分がちょこっと勉強した位では及ばないので専門家が必要なのです。私自身は、彼等彼女等の専門性を使えば良いだけのことではないかと考えます。英語を例に述べるならば通訳を雇えば済む話ですし、現代はPOCKETALK（ポケトーク）のような物まであるわけです。こうした利器の精度は既に結構なレベルで、時の経過に従って更に高まって行くと思われます。

そういうことを考えると、右記3科目につき勿論ある程度の知識を身に付けた方がベターでしょうが、少なくともリーダー足る者の本質的な要素ではありません。それよりも寧ろ人間力や判断力を中心とする知力が大切です。拙著『君子を目指せ小人になるな』(致知出版社)でも挙げた次の「私が考える君子の六つの条件」こそが、指導者の条件であり社長の条件だと私は思っています。

――①徳性を高める／②私利私欲を捨て、道義を重んじる／③常に人を愛し、人を敬する心を持つ／④信を貫き、行動を重んじる／⑤世のため人のために大きな志を抱く／⑥世の毀誉褒貶(きよほうへん)を意に介さず、不断の努力を続ける。

私自身、此の六つの条件に反するような行いをしていないかと何時も反省しながら、一歩でも君子に近づけるよう真摯に努力し、日々研鑽を積み重ねているつもりです。簡単に君子になれるわけではありませんから、自らの人間性を磨き高めて行くべく努力し続けるしかないのです。そして何事にあっても全て自分の責任だという覚悟を持つと共に、主体性も持つべく、常に明確に意識してやって行くことが大切です。人間力を高めそれを基礎として、様々な事柄の中で更に事上磨錬して行くのです。勿論、一生かかっても君子にはなれないかもしれません。しかしそれでも君子を目指す、その気持ちを持ち続けることが大事だと思うのです。

# 人物を目指し、人物を得る

2020年7月16日

## 自ら靖んじ自ら献ずる

致知出版社の「人間力メルマガ」(2019年11月)に、「優れた人材を得るための4つの条件(橋本左内)」が載っていました。『啓発録』で有名な幕末の先覚・左内ですが、曰く「第一に、人材をよく知る」「第二に、人材を養う」「第三に、人材を完成させる」「第四に、人材を活用する」ということでした。人物を得るべく、賢材を見出し育てて行き完成・活用に繋げて行くとは、全て左内が言っている通りだと私も思います。

但し、完成を目指すことは大事ではありますが、他方どこまで行っても完成の域には達せないと思っています。例えば『論語』の「子罕第九の十一」に、「既に吾が才を竭くす。

立つ所ありて卓爾たるが如し。これに従わんと欲すと雖も、由なきのみ」と、孔子の一番弟子・顔回が嘆息して発した言葉があります。

之は、「私自身は出来る努力を尽くしているつもりなのだが、先生は高所にそびえ立って居られるかの様に私には感じる。出来れば私もその様な高みに達したいと思うのだが、まず無理であろう」といった意味になります。顔回が前に進んでも孔子は常々更に先に行っている、ということで完成は中々難しく、教育に携わる者の在り方が問われるものです。あるいは、昔から人の使い方として「使用…単に使うこと」「任用…任せて用いること」「信用…信じて任せて用いること」とあります。また、人を育てるには山本五十六元帥の至言「やってみせ、言って聞かせて、させてみせ、ほめてやらねば、人は動かじ」にある意味尽きるとも言えましょう。更に、人物を得るに「上にある者、下の者と才智を争うべからず」「己が好みに合う者のみを用うるなかれ」等々、所謂「(荻生)徂徠訓」が大事なのは論ずる余地もありません。要するに、世に言われている右記の類は蓋し至言です。

難しい問題は、人を用いる者が指導者たる人物であるか否かということです。賢材を見出し育てようと思うならば、色々な形で自分自身でも人物を目指している人でなければなりませんし、その結果として様々な教養や考え方が身に付いている人でなければなりません。例えばモンゴルのチンギス・ハンが54歳の時、若干27歳の耶律楚材（やりつそざい）という逸材を見出せたのは、その風格・品格といったものを一瞬にして感じられる眼力が、彼に備わっていたからに他なりません。

兎にも角にも、人の上に立つ者は自分がそこまでの域に達していないとしても、一つの理想像を描きその理想像に近づくよう下の者を育てて行こうと一生懸命努力し続ける、ということも大事だと私は思っています。明治の知の巨人・安岡正篤先生が重視されていた『書経』の言葉に、「自靖自献（じせいじけん）…自ら靖（やす）んじ自ら献ずる」というのがあります。之は「内面的には良心の靖らかな満足を求め、外に発しては世のため人のために自己を献ずる」といった意味で、此の「〝靖献〟は我々の人格生活上に実に適切な一語」だと思います。

# 我を亡ぼす者は我なり

2020年7月29日

## 自己革新は自分でしか出来ない

「我を亡ぼす者は我なり。人、自ら亡ぼさずんば、誰か能く之を亡ぼさん」（修身）これは非常にいい言葉です。この一つだけでもつかみ得たなら、大したものだと思います。自己革新は、この「われ」にある。原因も結果も、自分自身にある。ローマを亡ぼしたのはローマです。日本を支えているものは日本です。健康で生き生きとした人生を送れるかどうかというのも、自分自身にあります。

右記は安岡正篤先生の言葉です。全ては此の「われ」にあるとは、正に言われる通りだと思います。世の中が悪いのでも、政治家が悪いのでもなく、先ず改めねばならないのは我々自身であり、個人です。先哲達は皆、洋の東西を問わずして異口同音にそう語っています。

安岡先生は東洋思想に基づいて、人物を磨くための4つの観点として、①しっかりとした「志」と「礼」を持つ／②全ての責任を自らに帰す／③直観力を養成する／④人間的魅力を高める、を挙げておられます。此の第二の「全ての責任を自らに帰す」ということは、東洋思想の根本です。

東洋では、己が修行をし、そうすることで周囲を感化できるようになると考えます。即ち、「君子は諸を己に求め、小人は諸を人に求む」（『論語』）、「大人なる者あり。己を正しくして、而して、物正しき者なり」（『孟子』）という世界です。自己革新をし、自己の徳性を高め、その徳性で他の人を感化して行くのです。

私自身、齢69まで唯々修養しようという気持ちをずっと持ち続けて今日までやってきました。そしてこれからも、何事があっても「天を怨みず、人を尤めず」（『論語』）の気持ちで、全てを自分に帰着させてやって行くしかないのだろうと思っています。

周りに責任を求める小人の在り様では、絶対に自分の革新は出来ません。自己革新は冒頭挙げた通り、自分でしか出来ないのです。その必要条件となるのが、中国古典で言う「自得…本当の自分、絶対的な自己を掴む」、仏教で言う「見性…心の奥深くに潜む自身の本来の姿を見極める」ということでしょう。

お互い人間というものは、自分の姿が一ばん見えないものであります。したがって私達の学問修養の眼目も、畢竟するに、この知りにくい自己を知り、真の自己を実現することだと言ってもよいでしょう――私が安岡先生と並んで私淑する、明治・大正・昭和・平成と生き抜いた知の巨人である森信三先生は、『修身教授録』の中でこう述べられています。之が、自得・見性に相当するものではないでしょうか。

人間というのは、正に自らの意志で自らを鍛え創り上げて行く「自修の人」でなければなりません。ですから我々個々人が夫々に、自分で自分を修める人間となる覚悟を根本から打ち立てねばなりません。真に自修の人となるべくは、「日々の生活は、この『自分』という、一生に唯一つの彫刻を刻みつつあるのだということを、忘れないことが何より大切」(『修身教授録』)だと思います。そして自らを変えて行く時、自得・見性が出発点になるのです。

# 指導者の条件

2020年8月18日

## 偉大な思想は洋の古今東西を問わず普遍性を有する

私はツイッターでピーター・ドラッカーBOTさんをフォローし、そのツイートを日々目にしていますが、その中で2020年4月中旬、「(ウィンストン・)チャーチルが与えてくれたものこそ、道義の権威、価値への献身、行動への信奉だった」という言葉をリツイートしました。ドラッカー曰く、此の3点こそは正に当時「ヨーロッパが必要とするものだった」ということで、チャーチルを次のように高く評価しています。

――1930年代の現実は、完全ともいうべきリーダーシップの欠如だった。（中略）チャーチルが自由世界のリーダーの地位につくまでは、ヒトラーが無謬（むびゅう）の存在として闊歩していた。しかしチャーチルが現れるや、ヒトラーの命運も断たれた。（中略）もしチャーチルがいなければ、アメリカもナチスの支配に対し手を出さずに終わったかもしれないことを実感するのは難しい。

第一に道義の権威、これ程大事なものはないかもしれません。「経営者が為さねばならぬことは学ぶことが出来る。しかし経営者が学び得ないが、どうしても身につけなければならない資質がある。それは天才的な才能ではなくて、実はその人の品性なのである」とは、ドラッカーの言葉です。之は経営者に限った話ではありません。指導者が、どうしても身に付けねばならないものが此の品性なのです。道義の権威とは、正に品性・品格であります。

第二に価値への献身、社会的に意義ある事柄にどれだけ身を献ぜられるかも物凄く大事な要素です。安岡正篤先生は御著書『知名と立命』の中で、「内面的には良心の安らかな満足、またそれを外に（中略）発しては世のため人のために尽くすということ、これなくしては人間ではない。動物となんら異ならない」と述べておられます。「自靖自献…自ら靖んじ自ら献ずる」（『書経』）ということで、ひと月前（2020年7月16日）のブログ結語でも指摘した通り、此の「〝靖献〟は我々の人格生活上に実に適切な一語」だと思います。

第三に行動への信奉、之も何時も言うように知識（物事を知っているという状況）や、見識（善悪の判断ができるようになった状態）だけの、「言うだけ番長…言葉ばかりで結果が伴わない人」の類では駄目なのです。見識に勇気ある実行力を備えて初めて之が胆識がある人物ということになるのです。そして自らの言をきちっとやり抜くからこそ、肚が出来た人だと世間から評価されて行くことになるわけです。知行合一的に物事を処理して行く中で、胆識を有するに至って初めて意味ありと言えるのです。

以上、偉大な指導者であったチャーチルが与えたとされる右記3点の全ては、当ブログでも度々ご紹介済みの次の指導者の条件（私が考える君子の六つの条件）に内包されましょう。それは換言すれば、洋の古今東西を問わず、偉大な指導者とは、こういう人物だということです――①徳性を高める／②私利私欲を捨て、道義を重んじる／③常に人を愛し、人を敬する心を持つ／④信を貫き、行動を重んじる／⑤世のため人のために大きな志を抱く／⑥世の毀誉褒貶を意に介さず、不断の努力を続ける。

# 参謀と補佐役

2020年9月17日

## 時々刻々と変化する環境の中で

第99代内閣総理大臣に就任された菅義偉さんは、故・堺屋太一さんによる歴史小説『豊臣秀長　ある補佐役の生涯』を愛読書とされておられるようです。堺屋さん曰くは「参謀と補佐役は違うということが大事なところで」、夫々を次の通り述べられています――参謀は始終策を練っているわけです。参謀の典型的なのは黒田如水で、しょっちゅう策を練る。（中略）補佐役は一切自分の手柄を言わない。これが一番のポイントですね。豊臣秀長というのは日本史上、最も優秀な補佐役です

此の参謀と補佐役ということで私見を申し上げますと、例えばＣＦＯのポジションとい

うのは単に金勘定をやっているだけでなく、ＣＥＯの戦略面におけるあらゆる補佐を常に行いながら一緒になって事業構築をして行くという重要な役割を担っています。従って金回りの事柄だけを扱うＣＦＯは私から言わせればＣＦＯではありませんし、米国では基本そうしたレベルでの取り組みが同ポジションには求められます。

現代の企業で言えば補佐役はＣＦＯであって、金勘定を含め色々な戦略的方向性を決めるに当たっても色々な形で関与して行くことになると思います。私自身、20年以上前に孫正義氏の戦略参謀かつソフトバンクのＣＦＯとして、数々の大型買収、提携などを手がけていた当時、自分の仕事をそういうふうに位置付けて、ある意味孫さんの補佐をやってきたということです。

日本の歴史を見ても、徳川家康における金地院崇伝や南光坊天海、豊臣秀吉における竹中半兵衛や黒田如水、あるいは北条時宗における無学祖元禅師、等々と誰につけ、非常に見識が高く洞察力・先見力に優れた人物を周りに置いていました。そしてそれは時として補佐役、時として参謀という風に活躍しました。従って、両者を峻別する必要性もなければ、実際それは出来ないことだろうと思います。

また菅さんの言葉を借りて言うならば、「自分は表に出ずに物事が前に進むよう段取りをとる秀長の生き方」は、血縁関係という特殊性の中での地位に基づくものであろうと考えられます。それは一つに、兄貴（秀吉）に刃向かうことは絶対にしない、という信念を互いに持っていた中で、良く相談し良く話も聞き、といったことがあったのではないでしょうか。それが堺屋さんの言われる「補佐役のあり方」に、色濃く映されている部分があるように思われます。

中国史上、貞観（じょうがん）の治（ち）（唐の第2代皇帝太宗の治世、貞観時代の政治）と称される最も良く国内が治まった時代を纏めた『貞観政要』（太宗と家臣達との政治上の議論を集大成し、分類した書）にある有名な言葉、「創業と守成いずれが難きや」が示す通り、創業には創業の難しさが守成には守成の難しさがあります。家康を例に挙げてみても、所謂「関ヶ原の戦い」までの家来達（軍略家や戦略家、腕っ節の強い人といった戦に勝ち抜く為の人材）と、それ以後「徳川三百年」の礎を創って行く家来達とでは能力・手腕の違う人間であるべきで、天下平定後の家康は如何に国を平和裏に治め徳川政権の長期安泰を維持するか、というところに知恵を出すような人材を国づくりのステージに応じて周りに置くようにしていました。

それに同じく大事なポイントは、時々刻々と変化する環境次第で様々なエキスパートが必要になり、一貫して参謀であるとか一貫して補佐役であるとかは有り得ない、ということです。大参謀とも言われた耶律楚材（やりつそざい）は若干27歳で54歳のチンギス・ハンの大宰相となり、30余年モンゴル帝国の群臣を仕切った非常に博学かつ胆識を有した人物であります。彼の死後、帝国は崩壊への過程を進んで行くわけですが、人間みな歳を取り全ては変わって行くものです。補佐役だ参謀だのと定型化していては、現実に難しい局面があるように思います。我々は常々その時その時でベストを探して行かねばならないのです。菅総理は官房長官時代、両方のポジションに時宜を得て就かれて大きな成果を出されたと思います。もちろん、総理としても立派な仕事をやられる人物だと確信しています。

# 偉大とは？

2020年11月9日

## 人のために何を為したか

『プレジデント』（2020年9月4日号）に、「ビル・ゲイツ◎自分の才能に目覚めよ！　個人の能力を『最大化』する7つの方法」という記事がありました。筆者はその中で、ビル・ゲイツが「自身の能力を最大化した7つの要因」に、集中力と勝負へのあくなき欲求・質問力・知と技術で解決できるという信念・失敗にこそ価値を見出す・フィードバック、等を挙げています。

しかし、そうして己の能力を最大化できたとして、その人が果たして偉大な人だと世に思われるでしょうか。偉大とは、世のため人のためにどれだけのことを為したかでしょう。

「質問力」などは、こうした観点からすれば「それが有ったからどうなの？」といった程度の話です。

『論語』に、「巧言令色、鮮（すく）なし仁」（陽貨第十七の十七）、あるいは「剛毅木訥（ごうきぼくとつ）、仁に近し」（子路第十三の二十七）とあります。前者は「口先が巧みで角のない表情をする者に、誠実な人間は殆どいない」、後者は「意志が堅固である、果敢である、飾り気がない、慎重である、このような人は仁に近いところにいる」といった意味になります。これら孔子の言からすれば、ビル・ゲイツの右記の論は、全く異質のもので偉大になるためには別の修養が必要でしょう。

真に偉大な人物であるかどうかの判定は、何十年・何百年経ってから為されることでしょう。例えば約２０００年前にはキリストが生まれ、その５００年程前には孔子や釈迦あるいはソクラテスといった人物が生まれています。これらの人達は、偉大であると言っても余り否定する人はいないと思います。

これら偉人に纏（まつ）わる古典は、本人による著作ではありません。『論語』は孔子自らが書いたものではなく、釈迦やキリストにおいても伝聞されて行ったものを弟子達が全て纏（まと）めました。そうして今日まである意味最も人類に影響を与えた「古典中の古典」と言い得る書になっており、今なお世界各国の様々な人々に感銘を与え続けているわけです。こうしたことが、偉大ということでありましょう。

あるいは、こうした思想的な面だけでなく後世の人々が偉大だと考えるのは、例えば世界中で人口に膾炙(かいしゃ)するようなトーマス・エジソンの発明や、ごく普通の人までもが偉大な発見だと思っているチャールズ・ダーウィンの「進化論」等、発明とか発見とかが対象かもしれません。人類社会の進歩発展に多大なる貢献を果たしたのであれば、それは偉大ということになりましょう。

どれだけの金を儲けたとしても、人々は偉大だとは言いません。財を築いた上で、世のため人のために何を為したかが大事なのです。例えば「金持ちのまま死ぬのは不名誉なことである」との言葉を残した鉄鋼王アンドリュー・カーネギーは、冒頭挙げたビル・ゲイツが範にしている社会的貢献の一つの考え方を打ち出した人物です。

カーネギー曰く、「金が貴いのは、それを正しく得ることが難しいからである。更に正しく得たものを正しく使うことが難しいからである」、とのことであります。彼のような大人物の名は偉人としてずっと後世に語り継がれる一方で、所謂「成功者」の名の殆どは何れ消えて行くということです。

# 己を修めて人を治む

2020年11月17日

## 全ての責任を自らに帰す

THE21オンラインで2020年9月に公開された記事、「『会社人生が終わっても、人生は続く』住友銀行の副頭取が選んだ〝69歳での起業〟」に、大型リチウムイオン電池および蓄電システムの開発・製造・販売を行っているエリーパワーのトップ、吉田博一さんの次の言葉が載っています。

――起業は一人ではできません。色んな人の技術や発想を束ねて、彼らのやる気を高めるには、マネジメントの力が必要です。マネジメントは人の気持ちがわからなければできませんから、経験がモノを言います。40代よりも、50代、60代と歳を重ねるほど有利ではないかと思っています。

そしてまた吉田さん曰く「私たちの社会は、どうしても同質性を求めがちですが、同じような考え方や行動をする人が集まってても、小さくまとまってしまいます。異質で尖った人たちを集めて、それぞれの良さや強みを活かしながら組織の力にしていくのが、マネジメントの役目」ということであります。

右記「マネジメントの力」とは一体何かと私見を申し上げれば、それは一言で一種の調整能力と言っても良いものかもしれません。例えば会社という組織は、年齢的にも経験的にも様々な人々の集まったheterogeneous（異種）な社会です。その組織にあって如何に多種多様な意見等を調整しながら、正反合（ヘーゲルの弁証法における概念の発展の三段階。定立・反定立・総合）の合あるいは正（命題）とも反（反命題）とも分からなくなってしまうが如き解に持って行けるかが、最も大事なマネジメント能力ではないかと思っています。

マネジメント力が仮にそういうものだとすれば、それをどうやって磨いて行くかと言うと、やはり中国古典『大学』にあるように「修己治人…己を修めて人を治む」ということでしかないのだろうと思います。２０２０年7月のブログ「我を亡ぼす者は我なり」でも述べた通り、「全ての責任を自らに帰す」とは東洋思想の根本です。

之は、「君子は諸を己に求め、小人は諸を人に求む」（『論語』）、「大人なる者あり。己を正しくして、而して、物正しき者なり」（『孟子』）という世界です。全ては身を修めることから出発し、それによって人を感化して、人を動かし世を動かして行く、といったことが所謂マネジメント力に繋がって行くのだろうと思います。

更に、マネジメント力が「40代よりも、50代、60代と歳を重ねるほど有利」というふうには私自身は思っていません。若い人がリーダーになっても、当然良いわけです。但し、その人は一種のバランス感覚及び調整能力を持ち、また人に「なるほどなぁ」と思わせるような力を有する必要性があります。それはもう、あらゆる事柄に対しての弛まぬ勉強でしかありません。教養を身に付け、自分の知恵を磨き、世の中の方向性を敏感に感ずるような先見の明を持つ――そういうことが合わさって、人のリーダーたるに相応しいわけです。

そして一たび人のリーダーとなったらば、持てるマネジメント力を大いに発揮して、一つの方向性を示し、全員を纏め導いて行くことが求められます。それは、年齢の問題ではありません。それは、若い時から己を修め人を治める学問をやってきたかということです。修己治人の学問を倦まず撓まず、ずっと続けて行くことが大事なのです。

第4章

# 機を捉えて、自らを変えていく

# ＳＢＩネオモバイル証券を中心としたネオ証券化の推進

２０１９年10月7日

## 米国で売買手数料無料化の動き

御承知のように２０１９年10月第１週は、「米ネット証券最大手シュワブ、株取引の手数料を無料に」（２０１９年10月2日 日本経済新聞）とか、「Ｅトレードも手数料撤廃―米証券業界、競争激化で合併観測強まる公算」（２０１９年10月3日 ブルームバーグ）等々のニュースがありました。

２０１９年9月26日、米インタラクティブ・ブローカーズ・グループが米国株等の売買手数料ゼロ化を発表したのに対し、10月に入っては先ず1日に米チャールズ・シュワブが手数料のゼロ化を発表、２日までに米ＴＤアメリトレード・ホールディングや米Ｅトレード・フィナンシャルも追随したのです。

要するに、之は２０１４年12月に米ロビンフッドが画期的な株式取引用アプリをローンチしたのを皮切りに、本格的に売買手数料無料化の動きが米国で起こり始めたということです。右記挙げた米オンライン証券各社の如くリテールマーケットを支配するような所が、どんどんと手数料のゼロ化に踏み切っているわけです。

翻って我が国においても実は、２０１９年9月3日に私が「自己進化と共創による未来の創造」と題して行ったスピーチの中で、「ＳＢＩネオモバイル証券を中心としたネオ証券化の推進」の旨を語りました。此のネオ証券化とは、「日本株式のオンライン取引での売買委託手数料や、現在投資家が負担している一部費用の無料化を図る」ということです。

創業から今日までＳＢＩ証券に大きな飛躍を齎（もたら）した主因は、オンラインの同業他社と比して圧倒的に安い手数料でした。そして今度は本格的にそれを極限値、即ちゼロまで持って行こうとしており、着々とその為の準備をしてきています。

私どもは手数料ゼロであっても、色々なやり方で十分な収益力を確保出来ると考えています。その一つに、売り買いのオーダーをマッチングさせせスプレッドを稼いで行くプラットフォームビジネスが挙げられます。また信用取引の量を増やして金利収入を増やすとか、あるいは貸株をやるといった具合に様々なことを想定しています。

また、リテールオンリーであった我々がホールセール分野を次々と強化し始めた理由も、此の手数料ゼロ化をカバーする収益源として徹底的に育てようとしたからに他なりません。略(ほぼ)それに関しても目処が立ってきたということで、大胆な戦略を２０２１年度ぐらいにも打てるものと見ています。

私どものネオ証券化構想が具現化する時、顧客数が膨大に増える可能性があります。ですから、サーバー等のシステム関係の投資もしておくよう指令を出し、之も既に動き出しています。

# かつてない困難からは、かつてない飛躍が生まれる

2020年3月25日

## 「好況よし、不況さらによし」

「続・新型コロナウイルス雑感」（2020年3月9日）と題したブログに記した通り、私は当社内で全役職員に告ぐという形で此のコロナウイルスに対する評価、即ち「之はリーマンショックを超える非常に大きな影響を与え得るものだ」という強烈なメッセージを比較的早い時期に出しました。

それは単にウイルスに対する備えとして、マスク・手洗い・うがい・アルコール消毒あるいは多くの人が集まる所に行かないといったことは勿論、リモートワークや時差出勤等についても会社として効率的な組織を保つ為どういう風にして行くべきか等々を述べてお

きました。

オリンピック・パラリンピックが延期または中止となる可能性も大きいし、消費税の増税もあり日本経済のダメージは極めて大きいという、小生のこれからの見通しを述べると共に、経費節減や決算対策等々についても述べました。

その時話しながら私が思い出していたのは、「好況よし、不況さらによし」という松下幸之助さんの言葉です。新型コロナウイルスで未曾有の不況に世界が突入している今こそ、此の気持ちを持たねばならないのではないかということです。私流に解釈すると、松下さんの言葉には二つの意味があると思います。

一つは、長い間には「悪いときを乗り越えなければならない時期」が必ずあるという当たり前のことです。良い時期・悪い時期と多様な経験をする中で、人は成長します。会社もやはり同じで、悪い時もあれば当然ながら良い時もあるのです。

もう一つは、不況は会社にとって本物に生まれ変わるチャンスだということです。不況期には、物やサービスは簡単には売れません。そこで会社としては、徹底的に設計・企画段階から製品やサービスの見直しを行います。会社が生き残る為、身体を筋肉質にし、体力をつけて行く絶好の機会となるのです。

更に、不況の時は普通のことをやっていても効果がありませんから、思い切った発想・新しい発想が生まれてくるようにもなります。松下さんは「かつてない困難からは、かつてない革新が生まれ、かつてない革新からは、かつてない飛躍が生まれる」とも仰っています。

困難があると必死になって考え、またその困難の程度が非常に大きいと従来の発想からの大転換が求められます。松下さんの言葉「5パーセントより30パーセントのコストダウンのほうが容易」というのも、30%のコストダウンといった並大抵では成し遂げられないことをやろうとなれば、ゼロから見直さねばならず抜本的な発想の転換が迫られるからです。そういった機会を与えてくれるのが不況だと思います。全く別の発想でものを考えるようになりますし、それは大胆な変革になってくるのです。

革新的な発想というのは、順風満帆の中では中々生まれてきません。寧ろ環境の悪い時の方が、良い発想が出てきます。松下さんの考えは、そんな体験の中から生まれた味のある言葉だろうと思います。

最後にもう一つだけ、松下さんは「この不景気に困ったな、この不景気にじっとしているより仕方ないな、というような消極的な考えを、もしもたれたとするならば、それは私は反対であります」とも述べておられます。

景況の悪い時期にこそ普段できなかったことをする、換言すれば、できる時期でもあるし、やらねばならぬ時期である、というふうに松下さんは言われています。それが、30％のコストダウンのような大胆な発想に繋がるわけです。

悪い時期に、じっと待っていることは何の役にも立ちません。有事の際に弾が通り過ぎるのを待っていたのでは、企業は上手くいくはずがないのです。機を捉え、自らを変えていく――それが企業をより強くして行くのだと思います。

# 古希を迎えて

２０２０年１月21日

## 世のために人のために尽くしたい

２０２０年１月21日、69回目の誕生日を無事に迎えることが出来ました。満69歳（数え70歳）とは、古代より稀（まれ）なりと言われる古希という歳であります。

私が子供時代、古希の人と言うと「ずいぶん年寄りだなぁ」という感じがしていたのですが、自分が古希になってみると「意外と古希も未だ若いな。さすが人生１００歳時代だ」というふうに思い、自分で笑っていました。

さて、今年も自宅も会社も植物園になる位に皆さんから祝意のお花を御送り頂きました。毎年の如く社長室や秘書室の人達が色々と趣向を凝らしてくれたり、また今回初めて海外の様々な拠点から御祝いを皆集まって言ってくれる機会があり、ＤＶＤでそれを頂きました。

そしてまた古希の祝いということで、紫のちゃんちゃんこを着て帽子を被りました。還暦の時、赤いちゃんちゃんこを着て帽子を被ったのはつい此の間のように覚えていますが、「いよいよ私も紫を着るようになったか〜」というふうに感じられました。御陰様で、気力・体力・知力とも充実しており、今後も此の調子で行けたらと思っています。

人間、一日一日自分がどう変わったかは分からぬもので、殆ど変わりなく変化して行き全く変化がないように見られます。しかし之が５年・10年というタームで見ますと、そこには大きな変化があるのです。そういう意味では、私も古希という歳になって「還暦に比べると、大きな変化がそこにはあるなぁ」と、還暦を祝って頂いた時の写真を見て思った次第です。

ただ私の場合、ＳＢＩアラプロモ株式会社の機能性表示食品の御陰だと思いますが、血液検査はパーフェクト、そして記憶力等についても、まだまだ若い者には負けません。目については、老眼鏡など全く要らない状況です。これからもＡＬＡ（5―アミノレブリン酸）をどんどん飲みながら健康に留意し、世のために人のために尽くしたい、と思っています。

今日まで、私のブログや書籍を御読み頂いている方々また仕事上色々な事柄で関わりがある方々、あるいは私共グループの役職員皆様に対して、今日この日を幸せに迎えられたことを本当に感謝したいと思います。皆様どうも有り難う御座いました。

# ALAが創る未来：「生命の根源物質」でバイオと医療・健康に貢献する

2020年11月26日

## 長期的視野に立ってグローバル展開

株式会社PHP研究所から『ALAが創る未来』という本を上梓しました。2020年11月26日より全国書店にて発売が開始されています。

これまで私は「公益は私益につながる」という考え方のもと、「世のため、人のため」になる事業に誠心誠意取り組んできました。SBIグループのコア事業である金融サービス事業はもちろんのこと、アセットマネジメント事業においてもそうです。

21世紀の直前に、この企業グループを立ち上げたわけですが、私たちの経営理念の一つに、「新産業クリエーターを目指す」ことを掲げました。日本が得意とした「ものづくり」は、新興国へ近い将来に移行せざるを得ない状況があり、産業の大転換を迫られている時代だったからです。

日本は21世紀の成長産業であるITとバイオテクノロジー、更には省・代替エネルギー産業といった領域に、より力を注いでいくべきだ。SBIグループによる投資も、それらの成長分野にフォーカスしていくべきだ。そのように考え、グループ創業以来事業を展開してきました。

そうして20年ほどの月日が経つと、日本はいつしか「課題大国」といわれるようになっていました。多くの国家的課題のなかでも、「少子化・高齢化」や「地方過疎」の問題はあらゆる方面に影響を及ぼすものになっています。

SBIグループはそのような社会変化・動向を見据えつつ、時流に先んじることによって成長を維持してきたのですが、そのなかでも、売上規模はまだ小さなものですが、私自身が特別な思いをもって始めたバイオ関連事業が本書の主題です。

バイオテクノロジーという分野は、ますます期待されるものになっているように思われます。ＳＢＩグループがバイオ関連事業に進出したのは２００７年ですが、２００９年には、ＯＥＣＤにより、２０３０年の世界のバイオ市場は加盟国のＧＤＰの２・７％（約１・6兆ドル）に及ぶだろうという予測報告がなされました。その後に次々と、欧米先進国が「バイオエコノミー」に関する国家戦略を発表しました〈ＯＥＣＤ「The Bioeconomy to 2030」。経済産業省「バイオテクノロジーが生み出す新たな潮流（平成29年2月）」〉。

国家の戦略でもあるこの有望な成長領域にＳＢＩグループも事業として２００８年に本格的に乗り出したのです。そしてその私たちのバイオ関連事業の成否のカギを握るのが、5―アミノレブリン酸という化合物、通称「ＡＬＡ（アラ）」です。

ＡＬＡは、体内のミトコンドリアでつくられるアミノ酸であり、ヘムやシトクロムと呼ばれるエネルギー産生に関与する機能分子の原料となる重要な物質で、人間を含む動物が生きていくためになくてはならない重要な働きをもつものです。研究を進めると、ＡＬＡは加齢に伴い生産量が低下すること、更に焼酎粕や赤ワイン、高麗人参などの食品にも多く含まれることがわかってきたほか、植物の葉緑素の原料としても知られるようになってきました。私たちは、このＡＬＡを活用して健康や医療、農業などに貢献していこうとしています。

２０１３年には、術中診断薬「アラグリオ」を上市しました。ＡＬＡを用いた機能性表示食品としては、「アラプラス 糖ダウン」や「アラプラス 深い眠り」といった商品も上市しております。他には、運動機能、認知といったものを改善・サポートするＡＬＡ配合の機能性表示食品や健康食品なども発売しており、ドラッグストアなどでの取り扱いも順調に拡大しています。

そうした事業も含むバイオ関連事業を、ＳＢＩグループでは成長分野の一つと位置づけ、長期的視野に立ってグローバル展開を推し進めており、その中心となるＳＢＩアラファーマという会社では、社長として自ら事業の育成にあたっています。

このＡＬＡ事業を展開するなかで、多くの優れた研究者や医師の方々にお会いしました。なかでも、特に縁の深い方々、これまで「ＡＬＡ」の価値に惹かれ、それぞれの仕事のなかで重要な位置づけをされている方々に集結してもらい、「ＡＬＡの未来を考える会」という特別プロジェクトを、本書刊行のために結成、それぞれ寄稿いただくことになりました。

参加いただいた執筆メンバーの方々には、それぞれの専門分野から最先端の事情をふまえたうえで、一般読者向けのいわば「誌上セミナー」としてわかりやすく講義をしてもらっています。「ALA」がどのような価値をもち、可能性を秘めているのかについての知識をこの機会を通じて得ていただいて、皆さんの平生の生活に活かしてもらえたらと思っています。

# 年頭所感

2021年1月4日

## 古い時代から新しい時代への転換点になる年

明けまして御目出度う御座います。

2021年はコロナ禍中でもあり、いつものようにフェースtoフェースで皆さんにお話し出来なくなり、やむを得ず、ビデオカメラに向かって、吉例に従い、今年（令和3年）の干支でみた年相をお話しします。その前に去年の庚子（こうし・かのえね）の年に私がどうお話ししたかを若干振り返りましょう。次のように申し上げました。「庚子の年には、先ず新たな局面が展開するという認識を持ち、継続すべきことと刷新すべきことを峻別することが必要です。～中略～そして因習を打破し、～中略～引き継ぐものは断絶することなく、思い切って新しい局面や環境に対応すべく更新し、進化させて行かなければならないという象であります。そうすることで～中略～新たな芽吹きと繁栄が始まるということです。」

こう申し上げて、その後暫(しばら)くしてコロナ禍で世界中が苦悩する状況になりました。そして、このコロナ禍は世界中で大きな社会変革や深刻な経済問題を引き起こしてきました。私は2020年4月1日に皆さんに、このコロナ災禍はリーマンショック以上のもので、その影響も長く続き、人々の消費行動・投資行動といった様々な経済行動に大きな変化を及ぼし、結果として我々SBIグループの経営環境にも大きな変化が生じることになると予見し、デジタルシフト、キャッシュレスといった流れが加速化すると申し上げました。皆さん方はこうした変化が我々にとっての勝機になると捉え、コロナ禍でも精力的に業務に励んでくれました。先ず皆さんのこうした努力に深甚なる謝意を表したいと思います。

さて、本題の今年の年相に移りましょう。

2021年は、「辛丑」(しんちゅう・かのとうし)です。

「辛」は刑具に用い、切ったり突いたりする鋭い刃物の象形文字で、白川静博士の『字統』によると「辛」は奴隷や罪人に入れ墨をする道具の象形とされています。だから、舌を刃物で刺すようなぴりっとした味のことをこの字を訓読みし、「からい」と言うのです。辛酸、辛辣（しんらつ）という熟語には、そのような意味合いがあります。

更に「辛」は上を表す二と干と一の会意文字です。干は、求める・冒（おか）す、一は一陽を表し、説文学的には、一陽が上を冒す形とみなします。即ち下に潜伏していた陽のエネルギーが矛盾、抑圧を排除して敢然として上に発現する形であり、前年の庚を次ぐ革新を意味します。その際、後漢の『白虎通義』にあるように、殺傷を生ずることがあります。

また「辛」は新にも通じます。『史記』の律書にも「辛は万物の辛生（新生）を言う」とあります。植物の生育のサイクルで言えば、草木が枯れて、新しくなろうとしている状態を意味しています。

次に「丑」の字義を見ましょう。

白川静博士の『字統』によれば、「丑」は手の指先に力を入れ爪を立て、強くものを執る形とあります。『説文（せつもん）』から言うと、母のお腹の中にいた嬰児（えいじ）が体外に出て、右手を伸ばした象形で、今まで曲っていたものを伸ばすところから、「始める」「掴む」「握る」という意味を持っています。

また『漢書律暦志』によると「丑」は紐(ひも)の意とされています。この糸偏の紐は「紐は束ぬるなり」『紐は結なり」と言われ、束ねる、統率する、結ぶといった意味があります。

更に、同書に、「子(ね)に孳萌(じぼう)（増え芽生える）し、丑に紐芽(ちゅうが)す」と註している。紐芽とは、曲がった腕や、芽が曲がりつつ伸びるのを待つさまで、昨年の子年に出た芽が、伸び悩んでいる形だと解しています。

以上、十干と十二支の字義を組み合わせると、今年の年相は次のようになります。

昨年は新型コロナウイルスのパンデミックにより、世界の社会・経済構造において急激かつ未曾有の大変化が生じました。前年から続く革新への動きは、今年に入り一層強まると考えられます。

「丑」の字義で触れたように新芽が曲がりつつ伸びるのを待つさまで伸び悩んでいる形で、辛と合すると今まで下方に伏在していた活動エネルギーが矛盾や抑圧を排除して敢然として上方に発現するという意味を持ち、本格的な変革が予見されます。そして無理に伸びようとすると傷を伴うこと即ちつらい目に会うという象だと解されます。

この革新の力により、古い時代から新しい時代への転換点になる年とも言えましょう。この転換点こそある程度の痛みを覚悟し、次の良き時代を目指し挑戦していくべき年なのです。

更に、中国古代の陰陽五行説では「辛」は金の陰に、「丑」は土の陰に分類されます。金と土は「土生金」となり、「相生」の関係にあり、双方の力を生かし強め合う関係にあります。植物で言えば枯れていく草木と新たな命の息吹が互いを生かし合い、強め合うことを意味します。

辛丑の字義とこの相生関係から考察すると今年を端緒として革新の嵐が吹き荒れ、随所で痛みも伴われるが、同時に大きな希望も芽生えてくるということになります。

次に過去の辛丑の年にどんな事があったのか史実から特徴的なものを拾ってみましょう。

- 420年前（1601年）徳川家康、関ヶ原の戦に勝利
- 180年前（1841年）水野忠邦の天保の改革
- 120年前（1901年）新世紀即ち20世紀の始まる年

1月　イギリスのヴィクトリア女王崩御
2月　日本の重工業発展の要となる官営八幡製鉄所操業開始
4月　日本女子大学校が創立
5月　1901年恐慌。アメリカのニューヨーク取引所で発生したノーザンパシフィック鉄道の買収事件を契機に生じた恐慌

## ●60年前（1961年）

1月　ジョン・F・ケネディが史上最年少の43歳でアメリカの35代大統領に就任。「ニューフロンティア政策」を掲げた
4月　NHKの朝の連続テレビ小説（朝ドラ）放送開始
4月　人類初の有人衛星、ソ連の宇宙船ボストーク1号が弱冠27歳のガガーリン飛行士を乗せ1時間48分に及ぶ地球一周に初めて成功
7月　小児麻痺流行でワクチン投与
8月　東ドイツが東西ベルリンの境界を封鎖。ベルリンの壁を建設
9月　第2室戸台風が室戸岬に上陸し、大阪湾岸に大きな被害

10月　大関の柏戸、大鵬が同時に横綱昇進
10月　坂本九「上を向いて歩こう」（英題SUKIYAKI）が発売される
岩戸景気による高度経済成長の中でレジャーブームが到来。年間の登山者は224万人を数え、スキー客は100万人を超えた
1960年12月27日に閣議決定された池田勇人内閣による「所得倍増計画」がこの年に始まる

こうして史実の歴表に徴（ちょう）してみますと、前記してきた辛丑の革新、始め、転換点といった年相がよく御理解いただけると思います。

最後に、以上述べた年相を踏まえ、我々SBIグループとしてどうあるべきかについて触れておきます。

第一に、昨年のコロナ禍中において、既にニューノーマルと呼ばれる世界が徐々に形成されてきました。我々はそうした事象の中で一体何が今後のより良き社会を実現していく上で本当に有用なものかを十分に吟味していく必要があります。

三密厳守、リモートワーク、テレビ会議、会食・移動・各種イベントの自粛等々により個や組織・社会が分断されバラバラになってきた側面もあり、それらが一時的なのか今後のライフスタイルとして定着するのかを見極める必要もあると思います。世の風潮として単に受け入れるのではなく、それらが本当に我々の創業の精神である「顧客中心主義」と合致しているのかを様々な角度から熟考する必要があります。

また、「丑」の字義の一つに「結び」があることを念頭に置くべきでしょう。分断された個や組織・社会が新型コロナ禍収束後により良い形で再び繋ぎ直されねばなりません。我々の戦略的取組みである「地方創生」や「オープンアライアンス」もある意味でこうした繋ぎを作ることになるので今後一層注力すべきです。

第二に、様々な経済・社会問題が発生する中で、我々ＳＢＩグループの事業に関連する古い制度や枠組を改変し、投資家や金融サービスの受益者を利する新しい制度や枠組を創設することに尽力しなければなりません。今年はそうしたことに最も適した年相なのです。

また、ＳＴ（Security Token）等の新しい将来の金融商品やそうした商品のための流通市場の創設も我々が今年取り組むべき重要な課題です。

今年は、近未来の成長の礎を築くべき年でもあります。

最後に、我々は昨年からコロナ禍にばかり気を取られがちですが、新型コロナウイルス以外の様々なリスクにも対応を忘れずにしておかなければなりません。

例えば今年は、年初から北日本日本海側から北陸、山陰にかけて大雪が降りました。今年は台風や地震等の天災にも備えておく必要があります。

また我々の業務から言えばマーケットリスクにも注意が必要です。株式相場格言で「丑つまずき」と言われていますが、丑年の日経平均は１９４９年5月16日の取引再開来平均騰落率はマイナス６・３％と十二支中、最下位です。特に夏以降気を付ける必要がありましょう。また円高リスクも高くなると私は見ています。

# 地方創生への挑戦

2021年1月14日

## 一極集中から地方分散型社会へ

株式会社きんざいから『地方創生への挑戦―SBIグループが描く新しい地域金融』という本を上梓しました。1月20日より全国書店にて発売を開始しております。

新型コロナウイルスの感染拡大は私たちの生活と社会構造に大きな変化をもたらしました。感染リスクを低減するため、人との接触や移動が制限されたことで、デジタルトランスフォーメーション（DX）が一気に加速しました。リモートワークも急拡大し、レストランの料理をオンラインで注文するといった行動様式もすっかり新しい日常となりました。

また、ニューヨークやロンドン、東京といった巨大都市では新型コロナウイルスの感染者が著増し、日本では東京一極集中のリスクが顕在化したことで地方分散型社会への転換がこれまで以上に叫ばれています。今までは当たり前のことだと思っていた日常の様々なことが、非連続的な変化を迫られています。

こうした大きな困難に見舞われている今は、あらゆる面で進化すべき時でもあります。東京一極集中から地方分散型社会へ。ポストコロナは間違いなく地方の時代です。

地方は魅力にあふれています。その魅力、そこで暮らす人たちや企業、行政のことを一番よく理解しているのは、そこに根差した地域金融機関です。実際、私どものもとには、実に様々な業種の方々から「地域金融機関の協力を得て地方でビジネスをしたい」との相談が舞い込んでいます。

地域金融機関の強みは、その顧客基盤と長年に亘って培われた地域における「信用」です。地域に根付く中堅・中小企業と幅広く取引をし、個人のお客様とも多くの接点があるだけに、地域におけるブランド力も抜群です。それらはメガバンクや最先端のテクノロジーを持つフィンテック企業でも到底かないません。

もちろん、地域金融機関には本書で触れているような課題が多くあるのも事実です。しかしその課題を克服すれば、間違いなく「持続可能なビジネスモデル」を構築でき、地域も活性化していくはずです。

ＳＢＩグループはこれまで3年超に亘り、そうした地域金融機関の諸課題の解決に資するべく提携を強化し、インターネット金融グループとしての先進的なテクノロジー、ノウハウ、ビジネスモデルを提供してきました。２０２０年12月現在では、7行の地域金融機関との間で戦略的資本・業務提携を行っています。２０１９年9月の島根銀行との資本・業務提携を皮切りに、それぞれの取り組みで徐々に成果を上げつつあり、十分な手ごたえを感じています。

その上で、今後は地域金融機関のほかに地域住民、地域産業、地方公共団体を加えた4つの経済主体にアプローチすることで地方創生の具現化を目指すべく、２０２０年8月に志を同じくする複数のパートナーと地方創生に関する企画・戦略を立案し推進していく母体として「地方創生パートナーズ」を設立しました。本書はＳＢＩグループの地方創生への取り組みが地域金融機関との連携から更に進化し、新たな段階に入ったことをご説明したいと思い、上梓するものです。

ポストコロナの時代に目指すべき地方分散型社会の構築は、ＳＢＩグループが地域金融機関とこれまで取り組んできた方向と一致しています。しかし、地方をひとくくりで論じることはできません。それぞれの地域ごとに名物料理があるように、文化や環境が違います。同じ色に染まるのではなく、その地方の持つ特徴や良さ（魅力）を活かしてそれぞれが活性化し、発展していくことが重要です。

ＳＢＩグループが地方創生に取り組む根底には、「公益は私益に繋がる」という考え方があります。すなわち、世のため人のためになる活動をしていけば、やがて自らの利益にもつながるという考えで、これはＳＢＩグループの創業時からの想いです。地方が元気になること、それが日本に明るい未来をもたらすと私は信じています。本書が、一人でも多くの方に地方創生への関心を高めていただくきっかけとなり、「ふるさと」の活性化につながれば大変うれしく思います。

## 運命に身を任す

2021年1月27日

### 「最善観」を信じて

78歳でアメリカ合衆国大統領に就任するジョー・バイデン。40代後半で大統領に就任し、その後若くして一線からは退いたビル・クリントンやバラク・オバマのことを考えると、歳とってからピークのある人生は、若い時の葛藤や苦労も大きい分、味わい深いし幸福感を感じるのではないかなと思う。私も死ぬまで、好きで得意なことをやり続けて社会に求められ貢献できる人でありたい。――之は、米Ripple社の吉川絵美さんがツイート（2020年11月8日）されたものです。

以下、此のピークを迎える年齢ということで私見を申し上げますと、ジョン・F・ケネディやビル・クリントン、バラク・オバマ等々40代で米国大統領に就任したケースも多数ありますが、そもそもが「早い」「遅い」といった形で捉えるべき事柄ではないと思っています。

それが早かろうが遅かろうが、十分その職責を果たすだけの人物が練られ能力が養われているか、ということが大事だと思います。また、ジョー・バイデンは次の4年間その任に堪え得るか、という問題もあるでしょう。ずっと堪えることが出来たら良いですが、ある時点で肉体的な限界に達したとなれば、その任を去らなければなりません。

あるいは私どもSBIグループで言えば、「野村超え『時間の問題』、地銀・デジタル全方位で」（2021年1月19日）と題されたNIKKEI Financialのインタビュー記事で、私は「進退についてはどうお考えですか」との問いに対し、次のように答えておきました。

――気力、体力、知力。そういうものが衰えてきたら言われるまでもなく退くべきだ。そういうふうに中国古典が教えている。僕の能力が落ちてくる。若い人の能力が上がってくる。この交差点がどこかにある。その時には天命をもった人がちゃんと現れるはずだと思っている。ただ、良いか悪いかは別にして、まだ僕の能力が落ちてはいない。経営者に要求される判断力というものはむしろ知見を得て増していく。そういう意味ではまだ僕についていて来られる人はいない。

天は、私が一線から退くべきベストなタイミングで私の後継者が必ず現れるようにしてくれると思っています。正に人間は会うべきタイミングで会うべき人に必ず会うのです。明治・大正・昭和・平成と生き抜いた知の巨人である森信三先生も述べておられるように、私は、全て此の世に起こることは絶対必然であり且つ絶対最善であるという「最善観」を信じています。

何れにせよ、少なくともその任に堪えられる間は、自分の歳如何といったことは余り関係せずに、唯々与えられた運命に身を任す、ということだと思います。歳を取っているから・若いからといった類に、それ程こだわらなくて良いでしょう。幾つであっても、天意を全うする生き方を貫くだけです。

# SBI大学院大学のご紹介

学校法人SBI大学が運営するビジネススクール「SBI大学院大学」は「新産業クリエーター」を標榜するSBIグループが全面支援をして、高い意欲と志を有する人々に広く門戸を開放し、互いに学び合い、鍛え合う場を提供しています。

## 私たちのビジネススクールの特徴とは

1. 経営に求められる人間学の探究

中国古典を現代に読み解き、物事の本質を見抜く力、時代を予見する先見性、大局的な思考を身に付け、次世代を担う起業家、リーダーに求められるぶれない判断軸をつくります。

2. テクノロジートレンドの研究と活用

グローバルに活躍する実務家教員による時流に沿った専門的な知見を公開します。講義の他、一般向けのセミナーや勉強会などを通して、研究成果や事業化に向けた活用など、新産業創出に貢献いたします。

3. 学びの集大成としての事業計画の策定

MBA 本科コースでは学びの集大成として、各自による事業計画書の作成、プレゼンテーションが修了演習の1つとして設置されています。少人数によるゼミ形式のため、きめ細やかなサポートはもちろん、実現性の高い事業計画書の策定が可能となります。
その他、所属する組織の改革プラン作成（組織変革演習）や修論ゼミの演習を選択することも可能です。

### オンライン学習システムで働きながらMBAを取得

当大学院大学では、マルチデバイスに対応したオンライン学習システムにて授業を提供しています。インターネット環境さえあれば、PCやモバイル端末から場所や時間に縛られず受講が可能です。

また、教員への質疑やオンラインディスカッション、集合型の対面授業などのインタラクティブな学習環境も用意されているため、より深い学びが得られます。働きながらビジネススキルを磨き、最短2年間から最長5年間（長期履修制度利用）の履修により自分のペースに合わせてMBAの取得が可能です。

| 大学名称・理事長 | SBI大学院大学・北尾 吉孝 ／ 学長：藤原 洋 |
|---|---|
| MBA 本科 コース | 経営管理研究科・アントレプレナー専攻／定員：60名<br>（春期・秋期各30名）／修了後の学位：MBA（経営管理修士（専門職）） |
| Pre-MBA コース | MBA 本科コース必修科目を中心に4単位分をパッケージしたコース。<br>割安な授業料で受講でき、取得単位は本科編入時に移行可能で<br>入学金免除、取得単位数に応じた本科授業料の割引制度が利用可能 |
| MBA 単科 コース | 興味ある科目を1科目から受講でき、本科編入時に単位移行可能 |
| MBA 独習ゼミ | 科目例：「中国古典から学ぶ経営理論」、北尾吉孝の人間学講義<br>「安岡正篤と森信三」https://www.sbi-u.ac.jp/dokusyu/application |
| 開催イベント | 個別相談、オープンキャンパス（体験授業）、説明会、修了生体験談等 |
| URL | https://www.sbi-u.ac.jp/ |

2021.4.1 現在

〒106-6021 東京都港区六本木1丁目6番1号
泉ガーデンタワー 21階
TEL：03-6229-1175/ FAX：03-6685-6100
E-mail：admin@sbi-u.ac.jp

著者紹介

## 北尾吉孝 KITAO Yoshitaka

1951年、兵庫県生まれ。74年、慶應義塾大学経済学部卒業。同年、野村證券入社。78年、英国ケンブリッジ大学経済学部卒業。89年、ワッサースタイン・ペレラ・インターナショナル社（ロンドン）常務取締役。91年、野村企業情報取締役。92年、野村證券事業法人三部長。95年、孫正義社長の招聘により常務取締役としてソフトバンクに入社。

現在、SBIホールディングス株式会社代表取締役社長。また、公益財団法人SBI子ども希望財団理事、学校法人SBI大学理事長、社会福祉法人慈徳院理事長なども務める。

主な著書に『地方創生への挑戦』（きんざい）、『挑戦と進化の経営』（幻冬舎）、『これから仮想通貨の大躍進が始まる！』（SBクリエイティブ）、『実践FinTech』『成功企業に学ぶ 実践フィンテック』（以上、日本経済新聞出版）、『修身のすすめ』『強運をつくる干支の知恵［増補版］』『ビジネスに活かす「論語」』『森信三に学ぶ人間力』『安岡正篤ノート』『君子を目指せ 小人になるな』『何のために働くのか』（以上、致知出版社）、『実践版 安岡正篤』（プレジデント社）、『出光佐三の日本人にかえれ』（あさ出版）、『仕事の迷いにはすべて「論語」が答えてくれる』『逆境を生き抜く名経営者、先哲の箴言』（以上、朝日新聞出版）、『日本経済に追い風が吹いている』（産経新聞出版）、『北尾吉孝の経営問答！』（廣済堂出版）、『中国古典からもらった「不思議な力」』（三笠書房）、『ALAが創る未来』『日本人の底力』『人物をつくる』『不変の経営・成長の経営』（以上、PHP研究所）など多数。

**心を養う**

2021年4月20日　初版第1刷発行

著者　北尾吉孝
発行者　村田博文
発行所　株式会社財界研究所
〒100-0014
東京都千代田区永田町2-14-3東急不動産赤坂ビル11階
電話：03-3581-6771
ファックス：03-3581-6777
URL：https://www.zaikai.jp/
印刷・製本　日経印刷株式会社
装幀　相馬敬徳（Rafters）


ISBN978-4-87932-144-2
定価はカバーに印刷してあります。